Piccola Bi

Di Nicola Gratteri e Antonio Nicaso negli Oscar

Acqua santissima
Dire e non dire
Fiumi d'oro
Fratelli di sangue
La giustizia è una cosa seria
La malapianta
Oro bianco
Padrini e padroni
Storia segreta della 'ndrangheta

NICOLA GRATTERI

LA MALAPIANTA

La mia lotta contro la 'ndrangheta

Conversazione con
ANTONIO NICASO

I edizione Strade Blu febbraio 2010
I edizione Piccola Biblioteca Oscar febbraio 2011

ISBN 978-88-04-60541-6

Questo volume è stato stampato
presso ELCOGRAF S.p.A.
Stabilimento - Cles (TN)
Stampato in Italia. Printed in Italy

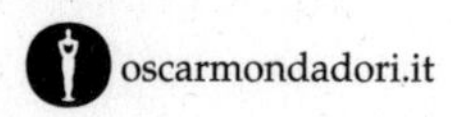

Anno 2019 - Ristampa 4 5 6 7

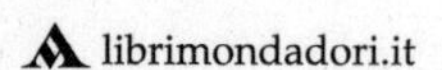

Indice

La malapianta

Preferisco perdere dei lettori,
piuttosto che ingannarli.
GEORGES BERNANOS

Ad Antonino Scopelliti,
per non dimenticare

Prefazione

«La cultura è l'unica arma di riscatto.» A questa frase, negli occhi di un centinaio di ragazzi accorsi ad assistere a una lezione di uno dei simboli della magistratura antimafia sembra affiorare una strana luce. È quella dell'orgoglio di far parte di una generazione che dovrà continuare una lotta che il relatore sta conducendo da più di vent'anni.

La cattedra non è il suo habitat naturale, ma è come se lo fosse. Dialoga con gli studenti con una capacità comunicativa propria solo di chi è veramente conscio dell'importanza del ruolo che riveste in quel momento, di chi si rivolge a quei giovani con fiducia, considerandoli non una generazione perduta, ma il futuro del nostro paese. Loro lo avvertono ed è per questo che rimangono per più di tre ore incantati ad ascoltare storia, miti, leggende e attualità della mafia più potente e più feroce, che attanaglia la nostra società con spaventosi tentacoli in tutti i continenti: la 'ndrangheta.

Nicola Gratteri è uno dei magistrati più impegnati sul versante della lotta alla mafia. Quotidianamente conduce indagini, formula accuse nel tentativo di reprimere o, perlomeno, indebolire il potere di quella che è divenuta la più potente multinazionale del crimine. Svolge il suo lavoro con successo senza clamori, senza proclami, convinto che questo sia «semplicemente» il compito che gli è stato affidato. Ma non si limita a ciò. Convinto che l'azione repressiva, pur essendo lo strumento essenziale, non sia da sola sufficiente a vincere la battaglia contro le mafie.

Come in tutte le guerre, la strategia che si deve attuare prevede innanzitutto la conoscenza del nemico e in secondo luogo l'accerchiamento da due versanti: quello repressivo e quello preventivo. Come ci ha ricordato più volte Paolo Borsellino, la mafia è innanzitutto un fenomeno criminale che va combattuto con una efficace azione giudiziaria, ma è anche un fenomeno sociale che nasce da una mentalità, si diffonde con una cultura, si manifesta in atteggiamenti di passività, connivenze, cedevolezze, e va arginato mediante una battaglia culturale.

Attraverso un dialogo vivace e avvincente, Antonio Nicaso e Nicola Gratteri offrono al lettore un'accurata ricostruzione storica della mafia calabrese, partendo dalle origini del fenomeno, che trova radici già nel Settecento e che è stato rilevato dagli storici dell'epoca.

Il percorso segue una traccia che spiega le dinamiche di una evoluzione esponenziale sia a livello di penetrazione sociopolitica, sia come accumulazione di potere economico. E se, come sosteneva Norberto Bobbio, «la democrazia vive di buone leggi e di buoni costumi», Gratteri ci spiega come la diffusione di una illegalità estesa e la pratica di costumi socialmente malsani abbiano finito per instaurare in Calabria una dittatura mafiosa che rischia di soffocare anche i diritti più essenziali.

Quali sono gli affari che hanno permesso alla 'ndrangheta di accumulare un immenso capitale finanziario? Dai sequestri di persona che hanno sfruttato le boscaglie impervie dell'Aspromonte al traffico di stupefacenti che ha reso la mafia calabrese il partner più accreditato dei cartelli sudamericani; per passare attraverso l'inevitabile connivenza con il potere politico e l'investimento di profitti enormi in imprese situate nel Nord del paese e all'estero. La dimensione imprenditoriale della mafia calabrese viene documentata e descritta come radicata nelle regioni a maggiore industrializzazione del Nord: Emilia Romagna, Lombardia, Piemonte, Liguria. La consistenza della sua estensione internazionale è addirittura sconcertante. Nel testo si fa riferimento a una «ragnatela mondiale» che va dall'America (Canada, Stati Uniti e Sudamerica) alla vecchia Europa, ma anche al Sudafrica e ai mercati dell'Oriente.

Il tutto raccontato nel rispetto di fonti storiche e documentazioni di atti giudiziari. Mediante una rigorosa raccolta e rilettura di fascicoli depositati presso gli archivi della procura di Locri e di Reggio Calabria, l'attività di inchiesta che Gratteri ha realizzato in più di vent'anni di lavoro, dalle indagini svolte alla fine degli anni Ottanta sulla criminalità diffusa nella Locride a quelle sulla faida di San Luca e sulla strage di Duisburg, viene messa a disposizione come chiave di lettura per meglio comprendere un fenomeno ai più ancora del tutto sconosciuto.

La struttura e l'evoluzione di Cosa Nostra siciliana è venuta alla luce attraverso anni di indagini e studi, da quanto è emerso dai maxiprocessi degli anni Ottanta e dalle rivelazioni di collaboratori e testimoni di giustizia. La camorra napoletana è balzata alla notorietà grazie a best seller e cinematografia. Ma attorno alla 'ndrangheta calabrese c'è sempre stata una fitta coltre di nebbia che ha senza dubbio aiutato questa organizzazione criminale a divenire, lontano e al riparo dagli schermi e dai rotocalchi, la mafia più potente, un fenomeno che continua a espandersi tra riti di iniziazione pervasi di una simbologia arcaica e potere economico ai massimi sistemi.

Ma cosa porta un giovane calabrese laureato in giurisprudenza a volere «far qualche cosa per la propria terra»? I ricordi del vissuto di Gratteri fanno comprendere come anche il contesto entro il quale un giovane si forma, i valori verso i quali è stato indirizzato e gli esempi, positivi e negativi, che ha incontrato possano essere determinanti per spiegare una scelta di vita così netta e condizionante. Anche il fatto di essere cresciuto in un determinato contesto socioculturale gli consente di interpretare una simbologia mediatica che altrimenti risulterebbe estremamente criptica e oscura. E se anche per contrastare la criminalità è necessario utilizzare gli stessi schemi interpretativi, e quindi lo stesso linguaggio, il messaggio che emerge è quello che per condurre questa battaglia è opportuno abbandonare un atteggiamento distaccato e sterile. In tale modo si potranno meglio comprendere le dinamiche sociali e relazionali che stanno alla radice del comportamento deviante e che portano una determinata comunità ad adottare sistemi perversi di avanzamento sociale. Si tende verso una magistratura che svolge il proprio ruolo non solo realizzando un'azione di polizia, ma cercando di penetrare nel tessuto sociale, che non vuole solo indagare e giudicare, ma arriva al giudizio mediante la comprensione del fenomeno.

Quindi un libro storico, un libro di indagine, ma anche un libro di denuncia. La denuncia ferma di un magistrato che quotidianamente vede la sua funzione depauperata di quegli strumenti essenziali senza i quali la lotta per la quale si impegna pervicacemente può risultare inefficace. Una giustizia sulla quale non si investe, ma che viene impoverita di risorse umane e materiali essenziali e irrinunciabili.

Gli autori ci offrono anche un esempio di come l'attività giudiziaria possa dare un contributo importante, non solo al sistema giustizia, ma, in senso più ampio, al sistema sociale inteso come sistema di informazione e conoscenza di un fenomeno. È la conoscenza che aiuta a formare una coscienza critica e che incrementa la libertà. E allora questo è un libro che aiuta a essere più liberi. Più liberi dall'ignoranza di un fenomeno che, come ci fa capire Nicola Gratteri, si nutre dell'indifferenza, della codardia e della povertà d'animo e mancanza di volontà di politici e cittadini comuni. È un invito alla reazione, alla consapevolezza che ognuno di noi può contribuire, nel ruolo che riveste, a indebolire, se non il fenomeno criminale, sicuramente la mentalità mafiosa di cui si nutre questo cancro sociale. E mi torna alla memoria il generale Carlo Alberto dalla Chiesa quando, nel primo intervento pubblico tenuto a Palermo in quel fatale 1982, sostenne che il «potere» come sostantivo è solo quello dello Stato, delle sue istituzioni e delle sue leggi. Ma che «potere» può essere anche un verbo: potere reagire, potere denunciare, potere costruire insieme una nuova coscienza civile anche a partire dalla conoscenza di ciò che ci opprime. Due dimensioni del *potere*, quindi, che in questo libro vengono fatte emergere con garbo e rigore.

Stefania Pellegrini

Introduzione

La mafia delle 'ndrine

La mafia più ricca del mondo domina la regione più povera d'Europa.

La 'ndrangheta, che fino a vent'anni fa era considerata una criminalità da Terzo Mondo arcaico e rozzo, oggi fattura 44 miliardi di euro all'anno e controlla quasi tutta la cocaina d'Europa. Ma di questa enorme ricchezza alla Calabria restano soltanto gli scarti, palazzine incompiute, con i ferri dell'armatura di cemento protesi verso il cielo come rami secchi, e la paccottiglia luccicante dei centri commerciali. Qui l'orrore di un paese a sovranità limitata appare in tutta la sua abbagliante epifania. Di bellezze e di rovine, di santi e di mafiosi, di dubbi e di certezze.

Dell'Aspromonte ferigno, dove la vita di un uomo valeva meno di quella di una capra, è rimasto solo il ricordo. Non ci sono più sequestri in Calabria, da quando la droga ha cambiato tutto, anche i pastori cresciuti in quel modello di società, con regole e valori tipici delle 'ndrine, come il silenzio e il vincolo di sangue. Il mistero è il disprezzo che i capibastone della 'ndrangheta mostrano per la loro stessa terra e per la loro gente, nonostante il mito dei codici d'onore. Persino nella Medellín della Piovra Bianca, gli Escobar e gli Ochoa avevano voluto un aeroporto ultramoderno, un metrò sopraelevato e ospedali di prim'ordine. Ma nella terra delle 'ndrine, gli «uomini di panza» sfruttano senza restituire altro che le perline e gli specchietti dei consumi effimeri.

Fa comodo a tutti, anche se nessuno lo ammette. I politici fanno finta di non vedere e chi può scappa. È così da quando i savoiardi giravano per i paesi con la testa dei briganti infilzata sulle pertiche. Già allora la picciotteria, o meglio quell'organizzazione criminale che manifestava i tratti fisionomici della 'ndrangheta, coesisteva con le vischiosità di un vecchio sistema di relazioni sociali e politiche. Si votava per censo e molti notabili, dopo essersi arricchiti con le quote che l'abolizione dei privilegi feudali aveva destinato ai contadini, si contendevano il potere politico e amministrativo con ogni mezzo.

«Si sospetta non a torto che nelle elezioni di qualunque specie, non escluse le parlamentari, agisca la occulta influenza delle fazioni locali e peggio ancora quella obbrobriosa della picciotteria» scrivevano nel 1903 lo psichiatra Enrico Morselli e il sociologo Santo De Sanctis,[1] autori di una biografia su Giuseppe Musolino, il leggendario bandito calabrese.

Erano gli anni in cui dalle Americhe ritornavano gli «indesiderati», quelli che si erano arricchiti con la Mano Nera. Erano «appanciati», vestivano con colori sgargianti e non passavano inosservati. Là dove c'era la guardianìa, il furto di animali, introdussero il pizzo estorto con lettere minatorie come quelle che avevano terrorizzato le Little Italy nordamericane. Il controllo del territorio diventò capillare e gli equilibri saltarono.

Nel 1905 Antonio Caridi, un picciotto detenuto nella casa circondariale di Reggio Calabria, cercò di capire se i gradi acquisiti oltreoceano avessero valore anche in Calabria. In un pizzino destinato al capoclan detenuto nella camerata accanto aveva scritto: «I camuffi [i fazzoletti che i mafiosi portavano rigirati con molta cura attorno al collo] combinati in America camminano anche qui?». E aveva aggiunto: «I palmesi dicono di no, a Reggio non siamo tanto sicuri». I palmesi, i boss del circondario di Palmi, allora erano considerati i custodi della tradizione, e i pizzini erano l'unico mezzo per comunicare. Quello di Caridi finì nelle mani sbagliate e venne utilizzato come prova per dimostrare l'esistenza della picciotteria in uno dei tanti processi celebrati davanti al tribunale di Reggio Calabria. Non si sa se i gradi acquisiti in America siano stati riconosciuti o meno, ma l'influenza della Mano Nera sulla diffusione della picciotteria in Calabria fu notevole.

A spostare gli equilibri fu il bandito Giuseppe Musolino che, avendo scelto l'Aspromonte per sfuggire alla cattura dopo la fuga dal carcere di Gerace Marina (l'odierna Locri), rimase impressionato dall'affidabilità dei picciotti della Locride, quelli di Africo, San Luca e Siderno, molto più impermeabili rispetto a quelli del Tirreno.[2]

Qualche anno dopo, in un rapporto del delegato di pubblica sicurezza Vincenzo Mangione al prefetto di Reggio Calabria, datato 2 settembre 1901, per la prima volta si fa riferimento al santuario della Madonna di Polsi, nel comune di San Luca, come sede degli incontri annuali dei capiclan legati alla picciotteria,[3] una sorta di summit per coordinare tatticamente le strategie dei vari clan calabresi che non hanno mai avuto un boss dei boss. Da allora la Locride ha sempre avuto un ruolo di primissimo piano nel risiko della mafia calabrese che è cresciuta con il contrabbando di sigarette, i sequestri di persona e i traffici internazionali di droga. Con la droga sono arrivati i soldi, una montagna di soldi che ha fatto della 'ndrangheta l'unica mafia veramente globalizzata, con tentacoli in tutti i continenti. Ne sono sgorgate cifre da bilanci pubblici: Salvatore Mancuso, il capo del più potente gruppo paramilitare colombiano e uno dei tanti partner commerciali della 'ndrangheta, ha ammesso che con il traffico di droga ogni anno entrano nell'economia colombiana sette miliardi di dollari.

Da organizzazione criminale globalizzata, la 'ndrangheta è divenuta un «brand», un marchio, che vede nell'adattabilità e nell'affidabilità i motivi principali del suo successo. Una holding del crimine che vive protetta, quasi rinserrata nei legami di sangue, ma che è riuscita anche a cogliere in anticipo su governi e grandi corporation multinazionali il trend della globalizzazione. High tech e lupara.

Se la famiglia è il nocciolo duro, il «locale» è l'ente territoriale di governo della 'ndrangheta: un consorzio tra famiglie, cementato dal sangue, che si spartisce lo stesso ambito, un paese o il quartiere di una città. Nel 1991, per porre fine alla guerra che, per sei anni, aveva insanguinato Reggio Calabria e la sua provincia, si è deciso di costituire un organismo di controllo e di raccordo, suddividendo il territorio reggino in tre «mandamenti».

Oggi tutti i locali sparsi per il mondo fanno capo ai clan della Locride, ma soprattutto a quelli di San Luca, una sorta di camera di commercio delle 'ndrine. In provincia di Reggio Calabria i locali sarebbero 73, di cui 23 nel mandamento del capoluogo, 26 in quello ionico e 24 in quello tirrenico. Ventuno, invece, il numero dei locali censiti nella provincia di Catanzaro, 17 in quella di Cosenza, 13 in quella di Crotone e 7 in quella di Vibo Valentia. Una malapianta che avanza come la linea della palma, per usare una felice espressione di Leonardo Sciascia. Dopo aver colonizzato l'Europa adesso si allarga nelle Americhe e in Africa. Unendo armi e soldi, violenza e investimenti, è sempre un passo avanti rispetto agli investigatori: dalle miniere congolesi del coltan, minerale fondamentale per i telefonini di ultima generazione, alle infiltrazioni negli appalti dell'Expo di Milano 2015.

C'è però anche un'altra Calabria, quella che la mafia delle 'ndrine l'ha voluta e saputa combattere, rappresentata da uomini come Nicola Gratteri, procuratore aggiunto presso la Direzione distrettuale antimafia di Reggio Calabria, una delle personalità più originali e affascinanti coinvolte in questa guerra. Spesso criticato per la durezza delle sue idee, Gratteri è nato in Calabria e dalla sua regione natale non ha mai voluto andarsene, anche a costo di grossissime rinunce. Ho cercato invano di estorcergli aneddoti, particolari romanzeschi, ma conoscendolo bene, ho capito l'inutilità dello sforzo. Gratteri non ama le chiacchiere. Bada alla sostanza delle cose. È un magistrato di specie rara.

Antonio Nicaso

I
Gli inizi

Nel salottino privato di un'azienda di import-export a Lucernate, frazione di Rho dispersa nel detrito senza fine della periferia milanese, due uomini sorseggiano tranquilli un caffè, senza sospettare nulla. È un giorno qualsiasi di un qualsiasi autunno in quella Lombardia industriosa e ricca che ancora nel 1996 s'illude di essere immune dall'infezione dilagante delle 'ndrine. Il più giovane rappresenta il clan dei Piromalli, potente casato della 'ndrangheta calabrese. L'altro è l'amministratore delegato di una delle più importanti aziende che controllano il movimento dei container in Italia. Parlano di tasse, ma non di quelle destinate all'erario. «Per ogni container che arriva nel porto di Gioia Tauro dovete darci un dollaro e mezzo» spiega l'uomo dei Piromalli, carnagione olivastra, stempiato, baffi folti. Si esprime senza minacce, con la sicurezza e la calma indifferente dell'esattore che non ammette repliche, mentre le microspie degli investigatori registrano silenziose le sue parole. Poi, a ricordare a chi gli sta di fronte che in quel lembo di Calabria niente accade senza il consenso del suo clan, aggiunge: «Noi siamo là, viviamo là. Abbiamo il passato, il presente e il futuro». Due anni dopo, l'uomo dei Piromalli era in carcere.

ANTONIO NICASO: *Se l'ambasciatore delle 'ndrine aveva ragione nel proclamarsi signore del passato e del presente, forse, come ha notato anche Curzio Maltese in un reportage sulla 'ndrangheta,*[1] *sul futuro, con un grande sforzo di ottimismo, si può coltivare ancora qualche fioca speranza. È d'accordo?*

NICOLA GRATTERI: Non siamo rimasti a guardare. Questo è certo. Abbiamo fatto molto e non penso che, con i mezzi a disposizione, avremmo potuto fare di più. Negli ultimi vent'anni ho arrestato, più volte, le stesse persone, gente che entrava e usciva dal carcere dopo essere stata condannata per associazione mafiosa e per traffico di stupefacenti. Se la pena fosse stata adeguata e proporzionata al reato non sarebbe successo. Con i benefici derivati dall'adozione del rito abbreviato e, fino a poco tempo fa, del concordato in appello, le pene venivano ridotte di oltre i due terzi, un vero indulto quotidiano. Sono stati così sistematicamente vanificati gli sforzi della magistratura e delle forze dell'ordine. Però non abbiamo mai abbassato la guardia, anche a costo di grandi sacrifici.

Certezza della pena: batte sempre sullo stesso tasto.

La 'ndrangheta, come le altre mafie, si combatte con il carcere duro e la confisca dei beni. Inutile prenderci in giro, con le storie sulla rieducazione del detenuto. Non ho mai conosciuto 'ndranghetisti che si siano pentiti per un rimorso della coscienza. Servono pene più dure per i reati tipici dell'associazione mafiosa e del traffico di droga, senza la possibilità di ricorrere al rito abbreviato o ad altri benefici durante la detenzione. Bisogna disincentivare l'attività mafiosa, renderla sconveniente. Non ci vorrebbe molto, dopo tutto ad arricchirsi con il traffico di droga sono in pochi.

Lo sostengono anche Stephen Dubner e Steven Levitt nel libro Freakonomics, *paragonando il traffico di droga, in termini di profitti, alla filiera di una catena di fast food. Ma come si fa a rendere sconveniente l'affiliazione mafiosa?*

Charlie Chaplin diceva che il successo rende simpatici. I giovani di oggi, con i loro vestiti griffati, mi sembrano tanti carretti siciliani. I reality show hanno rimbambito le coscienze, la televisione ha omologato i gusti e le aspettative. Molti sognano il «Grande Fratello», tutti sognano la bella vita. Le faccio un esempio. Se a un corriere di droga bastano quattro o cinque viaggi a Milano per permettersi la villa o la macchina di lusso, in caso di arresto non dovrebbe potersela cavare con quattro-cinque anni. Ma deve scontarne almeno venti, gli anni migliori, visto che i corrieri sono quasi tutti giovani.

Il carcere come deterrente. Cioè lei pensa di risolvere tutto cambiando qualche norma?

Non penso di risolvere tutto, ma di affrontare il problema con maggiore fermezza. Non possiamo continuare a prenderci in giro con il rito abbreviato che, a mio avviso, è solo un regalo ai mafiosi: abbassa la pena da scontare e non smaltisce l'arretrato dei tribunali. Quand'anche tu riesca a dimostrare la colpevolezza di un imputato in dibattimento, accade che la pena diventi ridicola rispetto al danno sociale rappresentato da reati come il traffico di droga e l'associazione mafiosa. Inoltre, quando la sentenza diventa definitiva, quindi in fase di esecuzione della pena, per ogni anno di buona condotta c'è uno sconto di tre mesi. Con l'introduzione e applicazione delle leggi Gozzini e Simeone, addirittura gli abbuoni vengono calcolati dal momento dell'arresto. Solo gli stupidi non ne approfittano, e infatti i mafiosi sono sempre detenuti modello. Mentre in Francia, per esempio, un detenuto può chiedere benefici dopo aver scontato almeno metà della pena, da noi si può ricorrere al giudice di sorveglianza non appena la sentenza diventa esecutiva. A me tutto questo sembra eccessivo e la cosiddetta rieducazione del detenuto serve solo ad accorciare la pena. Mi sa dire a che cosa è servito l'indulto? A niente. Lo hanno votato quasi tutti, senza chiedersi il perché. C'erano state le stragi di Palermo ed era stato introdotto il 41 bis, lo speciale regime carcerario per garantire l'isolamento dei detenuti condannati per mafia. Sarebbe stato consequenziale tenere aperti i penitenziari di Pianosa, Gorgona, L'Asinara e Favignana. E invece no. Sono stati stranamente chiusi e nessuno ha fiatato. Era quello che volevano i boss sfiancati dalla reclusione sulle isole. Nessuno ha protestato. Nessuno si è chiesto: ma come mai, nel momento in cui si vota l'indulto per sfoltire le carceri, si chiudono i penitenziari? A Pianosa, alla Gorgona, all'Asinara, a Favignana, molti boss soggetti al 41 bis avevano cominciato a collaborare con la giustizia. Tutto ci saremmo aspettati tranne che un atto di clemenza per gente che, tra l'altro, si era macchiata di crimini orrendi. Oggi nelle carceri ci sono più detenuti di quanti ce ne fossero prima dell'indulto.

Non teme di passare per un giustizialista?

Molti hanno paura di dire queste cose. Sembrano eccessive, ma bisogna cominciare a parlarne. Lo ripeto. In vent'anni un mafioso entra in carcere tre o quattro volte, con altrettanti processi e costi spaventosi per lo Stato. E non mi riferisco solo ai costi della giustizia, ma penso alle vittime, alla società, per le quali ci sono sempre meno garanzie. È pura illusione pensare di recuperare i mafiosi, convincendoli a cambiare vita. Nella 'ndrangheta, come in Cosa Nostra, si entra e si esce col sangue. Non ci sono altre vie d'uscita. Lo diceva anche Giovanni Falcone: scegliere di far parte della mafia equivale a convertirsi a una religione. Non si cessa mai di essere preti. Né mafiosi.

Ma perché lo Stato non ha mai affrontato seriamente questi problemi?

Forse per paura di perdere i voti e i consensi del mondo che ruota intorno alle mafie. Non si può andare avanti con un decreto più o meno efficiente ogni cinque o sei mesi. Bisogna avere il coraggio, la volontà e la libertà di cominciare a modificare il codice penale, il codice di procedura penale e l'ordinamento penitenziario. Prendiamo, per esempio, la 'ndrangheta. Questa organizzazione criminale è stata completamente sottovalutata. Oggi è considerata la mafia più potente, ma nessuno si chiede come ha fatto a crescere indisturbata. Ricordo quando era ancora considerata una curiosità marginale, una bizzarra invenzione linguistica, una versione straccione e casereccia della mafia siciliana. Pochi avevano compreso la vera natura della 'ndrangheta, che non era un'accozzaglia di pastori, ma un'organizzazione che ha sempre fatto delle relazioni sociali e politiche un proprio punto di forza. Quando non aveva ancora un nome, la 'ndrangheta veniva utilizzata dai politici locali per scoraggiare e minacciare gli avversari. Nel 1869 le elezioni amministrative di Reggio Calabria furono annullate per infiltrazioni mafiose. Operava una setta di accoltellatori che venne ritenuta responsabile del ferimento di alcuni uomini politici, come il sindaco di Cardeto, Domenico Romeo, e il parlamentare del Regno Francesco Saverio Vollaro. Ma non era un problema solo di Reggio. I mafiosi si infiltravano dappertutto, «in un partito e nell'altro», come scriveva nel 1895 il sindaco di Gerace al prefetto di Reggio Calabria. Da allora è cresciuta, anche e soprattutto, grazie alla tacita connivenza di gran parte della classe politica, dell'aristocrazia e della borghesia calabrese.

Partiamo dalle origini: quando e come è nata la 'ndrangheta?

La mafia calabrese ha avuto un lungo periodo di incubazione, durante il quale non sempre è stata individuata, compresa e capita. C'era la mentalità mafiosa, ma non c'era ancora un nome che potesse definire quell'alleanza tattica tra i vari clan che, senza disdegnare l'intermediazione parassitaria, gestivano l'abigeato, la guardianìa e l'estorsione. Uno dei primi a comprendere le potenzialità dei malviventi calabresi fu Henri Beyle, meglio noto come Stendhal, il quale, dopo la repressione sanfedista che aveva soffocato nel sangue la repubblica partenopea del 1799, scrisse: «Prima o poi il calabrese si batterà benissimo per gli interessi di una società segreta, che gli sta montando la testa da dieci anni a questa parte. Sono già passati diciannove anni da quando il cardinal Ruffo ebbe un'idea del genere: probabilmente queste società esistevano magari prima di lui». Già sul finire del Settecento a Monteleone, l'odierna Vibo Valentia, c'erano gli «spanzati» che non erano un semplice raggruppamento delinquenziale. Il geografo Giuseppe Maria Galanti, dopo la sua visita in Calabria a seguito del terribile terremoto del 1792, ce li descrive come gente oziosa, spesso inquisita, responsabile di omicidi, furti e violenze nei confronti delle donne, «con un manifesto disprezzo per la giustizia, la quale è inefficace a punirli».[2] Galanti ci racconta anche che gli «spanzati» svolgevano il ruolo di mediatori in alcuni affari economici molto remunerativi come il commercio della seta.

A cavallo tra il Settecento e l'Ottocento, il mercato nero in Calabria era uno dei fenomeni più diffusi nel sottobosco criminale. Per evitare le pastoie e i gravami del fisco, molte bande di contrabbandieri aggiravano le dogane trasferendo via mare nottetempo le merci più richieste, come fichi, agrumi, essenze, grano, olio, vino, pece, liquirizia. Dai porti tirrenici della Calabria partivano continuamente imbarcazioni che trasportavano gli oli del Nicastrese, del Vibonese e della piana di Gioia Tauro, oltre al ferro e al legno delle Serre. Dai moli della costa ionica, invece, venivano spedite le granaglie. Era una criminalità organizzata, capace di mediare, di corrompere, ma ancora priva di simboli, codici e rituali.

La mafia in Sicilia è cresciuta nel latifondo e con il latifondo, vero centro di potere politico capace di produrre ricchezza e clientela. In Calabria, invece, la criminalità organizzata si è sviluppata maggiormente nelle zone dove meno si poteva cogliere l'articolazione sociale ed economica del latifondo, quegli intricati rapporti che legavano gli uomini alla terra. Perché?

In Calabria il latifondo dette vita al brigantaggio raccogliendo il malcontento dei contadini schiacciati dalle ingiustizie, soprattutto nel Crotonese e nel Cosentino. Vincenzo Padula e Nicola Misasi, nell'Ottocento, hanno raccontato questa epopea, legata al potentato fondiario che si era arricchito con le usurpazioni dei terreni demaniali. I briganti combattevano contro le ingiustizie, contro le scelte del nuovo ordine che avevano contribuito ad aggravare la situazione socioeconomica della Calabria. Già nel 1874 il procuratore generale del re, Cosimo Ratti, ne sanciva il tramonto. «Sono finite quelle varie e numerose bande che non solo incutevano timore nei viandanti, ma mettevano a repentaglio la sicurezza di paesi interi.»[3]

La 'ndrangheta, invece, mise inizialmente radici nel circondario di Palmi per poi estendersi nel resto del Reggino, nelle zone più vivaci dal punto di vista economico. Nella provincia di Reggio Calabria non c'erano latifondi, come nel Catanzarese e nel Cosentino, ma proprietari che si erano arricchiti con le terre destinate ai contadini, dopo le bonifiche del 1835. Le colture olearie e agrumicole vennero inizialmente prese di mira dalle frange più riottose dei contadini defraudati. A Reggio Calabria, invece, bande di ladri cominciarono a speculare sui piccoli vizi e sui poveri consumi dei lavoratori. Nelle carceri entrarono in contatto con detenuti politici e con delinquenti affiliati ad altre organizzazioni criminali, mutuando i riti della massoneria, ma soprattutto le regole della vecchia camorra napoletana. Le carceri furono un locus privilegiato per la creazione di cointeressenze e amicizie. Presto questi criminali calabresi scoprirono di non essere semplici borseggiatori o scassinatori. Si dettero un codice, s'inventarono un gergo, ma anche dei valori, come il silenzio, il rispetto reciproco e la mutua assistenza. Nacque così la picciotteria, cioè la società dei picciotti, una sorta di 'ndrangheta prima maniera.

Qual era la realtà economica della Calabria quando cominciò a manifestarsi la picciotteria?

La struttura economica e sociale della Calabria, nel periodo dell'unificazione del paese, era dominata dall'agricoltura, anche se non mancavano interessanti iniziative nel settore industriale. Secondo il primo censimento del Regno d'Italia del 1861, nelle regioni meridionali, dove risiedeva il 40% della popolazione nazionale, era concentrato anche il 56% di tutti i braccianti agricoli e il 51% di tutti gli operai occupati nell'industria. In particolare, nel settore siderurgico, non molto lontano da dove sono nato io, nell'Alto Ionio reggino, c'erano le ferriere della Ferdinandea e le officine di Mongiana che, sull'altopiano delle Serre, sfruttavano la limonite del monte Stella e il carbone da legno tratto dai boschi di faggio e di abete. Questi stabilimenti davano lavoro a circa mille operai e soddisfacevano un quarto del fabbisogno di ferro dell'intero Regno di Napoli. Altri mille operai lavoravano a Lungro nel Cosentino, dove veniva estratto il sale. Le altre attività di rilievo erano quelle dell'estrazione della liquirizia e del tannino da castagno, le aziende del tessile, quelle seriche, il settore delle pelli, del cuoio, del sapone, del mobilio, delle sedie, dei cappelli, dei fiori artificiali e degli oggetti in ferro o rame.

Il paesaggio agrario, invece, era caratterizzato dalla presenza di una estrema povertà di risorse, soprattutto nelle aree di collina e di montagna, e dalla diffusione di fenomeni malarici nelle aree di pianura più suscettive di sviluppo. Le tecnologie utilizzate erano vecchie di secoli. Dopo il 1861, di fronte alle misure repressive dello Stato unitario, alle masse popolari calabresi non restò altro che la strada del brigantaggio o dell'emigrazione.

La cosa e il nome. Sul nome, almeno inizialmente, si è fatta molta confusione. Perché?

Nei documenti ufficiali talvolta si parla di «maffia» con due effe, ma anche di camorra, che nell'Ottocento era sinonimo di estorsione o, come spiega lo scrittore Marc Monnier in una sua opera sulla camorra del 1862, di estorsione organizzata. Nel 1885 un magistrato di Reggio Calabria spiegava come lo scopo della camorra fosse quello di estorcere denaro «a titolo di prezzo della sua protezione». «Picciotteria» fu la denominazione più usata nelle sentenze dei tribunali e della Corte di appello. In altre sentenze, invece, compaiono termini come «Famiglia Montalbano» e «Onorata Società».

Per Max Horkheimer e Theodor W. Adorno, due grandi della sociologia contemporanea, tutti i concetti in cui si riassume semioticamente un intero processo storico si sottraggono alla definizione. Definibile è solo quello che non ha storia.

'Ndrangheta, però, è il termine con cui oggi tutti conoscono la mafia calabrese. Come nasce questo nome quasi impronunciabile, soprattutto all'estero?

È una parola che ha un significato etimologico altamente apologetico. Secondo alcuni linguisti, come Paolo Martino, deriva dal greco parlato ai tempi di Omero, una lingua ancora diffusa nella zona di Bova, sulla costa ionica della Calabria. E precisamente da *andragathos*, che indicava l'uomo coraggioso e valoroso che non portava mosca sul naso. L'idea era quella di far passare la 'ndrangheta come un modo di essere, di pensare e non come un'organizzazione criminale gerarchicamente strutturata, con codici e rituali.

Torniamo alla picciotteria. Quando cominciò a manifestarsi?

Le forze dell'ordine cominciarono a notarla negli anni successivi all'unificazione d'Italia, ma sicuramente c'era già prima dell'arrivo dei piemontesi. Nel 1890 entrò in vigore il codice Zanardelli che introdusse il reato di associazione a delinquere. Prima, nel codice sardo, il reato configurato era quello dell'associazione di malfattori. Già nel 1890 si celebrarono i primi processi con il nuovo codice a Reggio e a Palmi. Arrivarono anche le prime condanne. A Reggio i giudici rilevarono nella sentenza che l'associazione denominata «dei picciotti e dei malandrini», e guidata da un certo Paolo Scudieri, aveva una struttura a sviluppo verticale e si divideva in due gruppi, quello maggiore, di cui facevano parte i camorristi, cioè il livello direttivo, e quello minore, costituito dai picciotti con compiti di manovalanza. Ancora oggi nella 'ndrangheta prevale questa distinzione. A Palmi, invece, sempre nel 1890, vennero processate 69 persone di Iatrinoli e Radicena [l'odierna Taurianova], Molochio, Melicuccà, Messignadi e Polistena, coinvolti in pascoli abusivi, abigeati, guardianìa ed estorsioni ai danni di proprietari terrieri. In quegli anni, le relazioni tra i vari clan si svilupparono attorno alle fiere, che costituivano un grande veicolo per la circolazione di notizie, ma anche di commerci. Spesso gli animali rubati in una zona venivano venduti e macellati in un'altra, grazie ai contatti sviluppati nelle fiere che, con cadenza annuale, si celebravano in molti paesi della Calabria. Chi non pagava subiva furti e danneggiamenti. Allora nelle zone rurali, oggi in quelle urbane.

Cioè faceva quello che lo Stato non può fare senza negare se stesso: vendeva protezione privata?

Erano guardiani dell'ordine. Creavano il disordine per poi garantire l'ordine. Venivano compiuti furti, danneggiamenti, uccisioni di animali per creare paura, insicurezza, per costringere i proprietari terrieri a chiedere la protezione dei picciotti che, nei vari paesi, facevano di tutto per farsi notare. Anche la picciotteria era un'organizzazione segreta di cui tutti dovevano conoscere l'esistenza:

un paradosso che lo storico Paolo Pezzino ha efficacemente spiegato.[4] All'inizio i picciotti si vestivano allo stesso modo, si tatuavano, si atteggiavano spocchiosamente. E come fanno ancora oggi si legavano tra di loro, «facendosi uscire il sangue del dito mignolo della mano destra», come recita la sentenza del primo maxiprocesso alla picciotteria del 1892. C'erano gerghi, codici, rituali, giuramenti, valori e simboli.

Un sistema che è riuscito a reggere nel tempo.

Senza valori, senza quadri di riferimento, senza simboli nessun gruppo umano regge. Lo sostiene, e io concordo, l'antropologo Luigi Maria Lombardi Satriani. La picciotteria prima e la 'ndrangheta dopo sono riuscite a creare un complesso di norme, ma anche una mentalità mafiosa e un comportamento altrettanto esteso.

Il ritrovamento di uno dei primi codici avviene sul finire dell'Ottocento. Ma perché i codici sono così importanti per la 'ndrangheta?

Perché conferiscono legittimità e costituiscono uno straordinario strumento che garantisce il senso di appartenenza all'organizzazione. Le mafie, e la 'ndrangheta in particolare, sono organizzazioni identitarie, ma soprattutto elitarie. I codici fanno credere ai mafiosi di far parte di un mondo esclusivo, al quale accedono solo coloro che dimostrano di esserne degni. Il mondo dei mafiosi si divide tra quelli che stanno dentro e quelli che stanno fuori. Chi sta dentro l'organizzazione e ne fa parte è uomo. Chi sta fuori non è nulla, non conta niente e la sua vita non vale niente. In alcuni paesi del Reggino dicono: *nuddu mbiscatu cu nenti*, nessuno mischiato col niente.

Anche gli 'ndranghetisti, come i greci e i latini, si sono creati il mito, le ascendenze nobili.

Come spiegano gli antropologi, il mito è qualcosa che non è mai esistito, ma che esisterà per sempre. In un processo del 1897 un certo Pasquale Trimboli di Sinopoli decise di collaborare con la giustizia e raccontò che la società di cui aveva fatto parte era stata fondata da tre cavalieri, uno spagnolo, uno napoletano e uno palermitano, tutti e tre camorristi. Spiegò anche che questi tre cavalieri, metaforicamente parlando, formavano un albero. Gli affiliati rappresentavano i rami e le foglie, mentre i giovani d'onore (cioè gli aspiranti picciotti) costituivano i fiori. Questa deposizione venne riportata dalla «Cronaca di Calabria», un giornale dell'epoca, ed è stata trovata recentemente da John Ditchie, uno studioso britannico che sta scrivendo un libro sulla storia della 'ndrangheta. È la prima volta che compare qualcosa di simile a quello che sarebbe emerso negli ultimi vent'anni attraverso le testimonianze dei pochi collaboratori di giustizia. I primi a raccontare questa storia, negli anni Settanta-Ottanta, erano stati lo scrittore Sharo Gambino e il giornalista Luigi Malafarina.[5]

Che cosa racconta questa leggenda?

Racconta che tre cavalieri, Osso, Mastrosso e Carcagnosso, nel Seicento, furono costretti a fuggire dalla Spagna dopo aver lavato nel sangue l'onore di una loro sorella stuprata da uno dei tanti gagarelli lisciati della nobilità spagnola. Sbarcati sull'isola di Favignana, al largo di Trapani, i tre fratelli rimasero ventinove anni nascosti nelle viscere della terra per approntare le regole di una società segreta simile alla Garduña, una nota associazione fondata a Toledo nel 1412, della quale avevano fatto parte. Osso, votandosi a san Giorgio, rimase in Sicilia e fondò la mafia; Mastrosso, devoto alla Madonna, si trasferì in Campania e organizzò la camorra; Carcagnosso, con l'aiuto di san Michele Arcangelo, andò in Calabria e dette vita alla 'ndrangheta. Della Garduña ci parla in una sua novella anche Miguel de Cervantes, raccontandoci di queste confraternite (*cofradías*), che allignavano a Toledo e a Siviglia, composte di uomini d'onore che facevano la cresta sulle vincite nelle case da gioco, ma anche di organizzazioni dotate di codici e gerarchie – fratelli maggiori (*cofrades mayores*) e novizi (*novicios*) – specializzate in vendette private e delitti su commissione.

Le leggende si tramandano oralmente e spesso nascono dal nulla. Nel linguaggio picaresco, quello del racconto orale, del vernacolo e del gusto schietto per il dettaglio colorito, uno dei generi narrativi più caratteristici della letteratura spagnola del XVI e XVII secolo, Osso, Mastrosso e Carcagnosso più che cavalieri erano poveracci rinsecchiti. Osso, il migliore (o il capo) era detto maestro, mastro. Mastro dell'osso, Mastrosso, cioè ossa su ossa, era un modo per definire lo scheletro dal collo in giù. E infine Carcagnosso, il calcagno, il tallone, era la fonte della deambulazione che portava in giro le ossa, secondo la genia di fantasmi uscita dalla pittura italiana del Medioevo.

Struttura, mito e cultura. Già alla fine dell'Ottocento c'erano tutti gli elementi per comprendere la 'ndrangheta?

Le faccio un esempio: in Sicilia, già alla fine dell'Ottocento, il questore di Palermo Ermanno Sangiorgi aveva compreso il carattere unitario e verticistico della mafia siciliana, il ruolo delle borgate come unità territoriali sul modello dei mandamenti, i rapporti con le élite locali. Per accertare questa incontrovertibile verità c'è voluto il maxiprocesso di Palermo, alla fine degli anni Ottanta. Della mafia si conoscevano anche i riti di iniziazione. Quello degli *Stuppagghieri* di Monreale del 1877 presentava tutti gli elementi del simbolismo religioso che ritroveremo nei più recenti racconti dei collaboratori di giustizia: l'analogia con il battesimo come rituale di rinascita e consacrazione; il giuramento sull'immagine sacra; il sangue che bagna l'effigie del santo; la presenza del fuoco che purifica, distrugge e porta a nuova vita. Al rituale degli *Stuppagghieri* seguirono quello dei *Fratuzzi* di Corleone, noto grazie al memoriale di Bernardino Verro, primo sindaco socialista di Corleone, ex mafioso, ucciso nel 1915, e quello della *Fratellanza* di Favara.

La stessa simbologia si ritrova nella 'ndrangheta, di cui nella seconda metà dell'Ottocento venne scoperta la struttura, la ritualità, ma anche la forza e la capacità di adattamento e di relazione. Un poliziotto che dava la caccia al bandito Giuseppe Musolino, agli inizi del Novecento, intuì che la picciotteria godeva anche di un diffuso consenso sociale che la rendeva ancora più forte. Abbiamo conferma di quanta importanza abbia ancora oggi il consenso sociale, grazie all'intercettazione di un dialogo tra due 'ndranghetisti. Quello di San Luca ricordava all'altro di Locri che senza consenso non ci sarebbe stato futuro. C'era il rischio di perdere tutto ciò che il clan di Locri aveva accumulato nel corso degli anni. Parole illuminanti per comprendere il radicamento sociale della 'ndrangheta.

La struttura della 'ndrangheta è basata sul vincolo di sangue. Da quando gli intrecci parentali cominciano a distinguere e a rafforzare le relazioni in seno alle 'ndrine?

Già agli inizi del Novecento molti clan erano costituiti da fratelli e cugini. Nel periodo del fascismo, probabilmente per esigenze di reciproca protezione, i legami di sangue si rafforzano. C'erano molti spioni e il vincolo di sangue diventò un mezzo per rendere più impermeabili le 'ndrine. Lo scrittore Corrado Alvaro, parlando della Calabria, dice: «La famiglia è la sua colonna vertebrale, l'alveo del suo genio, il suo dramma e la sua poesia». È lo stesso per la 'ndrangheta, ma con un po' di poesia in meno.

Molti sostengono che durante il fascismo la gente poteva lasciare le porte aperte. Ritiene che anche in Calabria, come in Sicilia, nella lotta alla criminalità organizzata di stampo mafioso si sia fatta molta retorica?

Le porte aperte rappresentavano una metafora dell'ordine, della sicurezza e della fiducia. In realtà c'erano molte porte chiuse, dietro alle quali succedeva di tutto. Il prefetto Cesare Mori, in Sicilia, ebbe vita facile finché andò avanti a retate e blitz contro la manovalanza mafiosa. Non appena cominciò ad alzare il tiro sfiorando i referenti politici della mafia militare, venne nominato senatore per essere allontanato dalla sua attività.

E in Calabria?

Il regime fascista, com'è noto, combatté le mafie soprattutto per motivi di concorrenza fra logiche assolutiste. In carcere finirono gli straccioni e la manovalanza spiccia. Molti contadini, nell'impossibilità di organizzarsi in sindacati, aderirono alla 'ndrangheta. E si continuò a perpetrare l'immagine romantica di un'organizzazione che rappresentava un modo di essere, una sorta di «calabritudine», per usare una efficace espressione del giornalista Pino Nano.

Sarebbe a dire?

Nell'amplissima pubblicistica sull'ammirazione viscerale che la 'ndrangheta continuò a suscitare, vale la pena ricordare una sentenza pronunciata dalla Corte di assise di Locri nel 1939, cioè in pieno fascismo. A Cirella di Platì, nei pressi di Locri, era stato ucciso Paolo Agostino, un noto boss della 'ndrangheta. Era appena rientrato da Ustica, dove aveva scontato alcuni anni di confino. Il suo ritorno fece saltare gli equilibri che si erano determinati in sua assenza nella 'ndrina di Cirella. Agostino non era più ben visto, da quando aveva dato l'incarico a un parente di denunciare gli autori di un furto commesso a suo danno mentre era al confino. Secondo la logica delle 'ndrine avrebbe dovuto rivolgersi al boss che lo aveva sostituito e non ai carabinieri. Per il suo omicidio vennero imputate, in concorso, 142 persone. I giudici ne condannarono all'ergastolo solo dodici, tracciando della vittima un ritratto di convinta ammirazione. Agostino venne definito come un uomo «assai pericoloso che all'aitanza della persona accoppiava un animo ardito, un raro spirito di prepotenza, una forte tendenza a ogni specie di sopruso e un coraggio necessario a far valere tali qualità. Era capace non solo di difendersi contro due o tre avversari, ma di prendere l'offensiva e fare strage di avversari».

In altri processi, addirittura, decine di imputati vennero prosciolti perché sostennero di appartenere a una società d'onore che garantiva mutua assistenza nella ricerca di un lavoro o nella difesa dalle violenze altrui.

II
La svolta

Sul finire degli anni Sessanta, la 'ndrangheta decise di svoltare a destra. I De Stefano, un ceppo mafioso emergente, avevano abbracciato il piano eversivo del principe Junio Valerio Borghese, ex comandante della X Mas, nemico giurato dei comunisti. Il colpo di Stato prevedeva l'assalto ai centri nevralgici del potere, i ministeri dell'Interno e della Difesa, la sede della Rai, le telecomunicazioni, le caserme.

La mafia delle 'ndrine doveva infiltrarsi tra le avanguardie del movimento «boia chi molla» per sfruttare la rivolta scoppiata a Reggio Calabria dopo la decisione di spostare il capoluogo della regione a Catanzaro. Non tutti furono d'accordo con la scelta dei De Stefano. La vecchia guardia della 'ndrangheta, rappresentata da Antonio Macrì, potente capobastone di Siderno, si mise di traverso. E con lui si schierò anche il boss di Reggio Calabria, Domenico Tripodo.

Per evitare spaccature, venne convocato un summit a Montalto, nel cuore dell'Aspromonte. Era il 26 ottobre 1969.

Avvertiti da una soffiata, su quella radura si presentarono in forze anche gli uomini del commissario Alberto Sabatino. Per la 'ndrangheta fu un duro colpo. In manette finirono decine di boss e gregari che si inventarono di tutto per giustificare la loro presenza tra gli abeti, i pini e i faggi di Montalto. Chi era venuto a raccogliere funghi, chi a cacciare barbagianni e colombacci. Il golpe ideato da Borghese, la cui realizzazione era prevista per il dicembre 1970, venne bloccato da un contrordine e la rivolta di Reggio venne fatta rientrare con una serie di finanziamenti promessi dall'allora presidente del Consiglio dei ministri Emilio Colombo: il famoso pacchetto.

La 'ndrangheta si adattò ai cambiamenti voluti dai De Stefano e sostenuti dai Piromalli, un potente clan di Gioia Tauro, intuendo l'importanza di avere propri rappresentanti nei consessi elettivi, ma anche nelle logge deviate della massoneria. Nacque così la Santa, un'enclave in seno alle 'ndrine per meglio gestire la massa di miliardi che stava per arrivare con i finanziamenti della Cassa per il Mezzogiorno.

Racconta il collaboratore di giustizia Filippo Barreca: «In Calabria esisteva sin dal 1979 una loggia massonica coperta a cui appartenevano professionisti, rappresentanti delle istituzioni, politici e ... 'ndranghetisti. Questa loggia aveva legami strettissimi con la mafia di Palermo cui doveva rendere conto ... Cosa Nostra era rappresentata nella loggia da Stefano Bontate; questo collegamento con i palermitani era necessario perché il progetto massonico non avrebbe avuto modo di svilupparsi in pieno in assenza della "fratellanza" con i vertici della mafia siciliana, ciò conformemente alle regole della massoneria che tende ad accorpare in sé tutti i centri di potere, di qualunque matrice. Posso affermare con convinzione che a seguito di questo progetto, in Calabria la 'ndrangheta e la massoneria divennero una "cosa sola"».[1]

Nel 1945 Saverio Montalto scrisse La Famiglia Montalbano, *un libro nel quale l'autore, originario di San Nicola di Ardore, colse il nesso tra la mafia calabrese e la politica. La 'ndrangheta veniva descritta come una realtà politica, economica e sociale attenta al consenso e alle dinamiche istituzionali. Tre anni dopo, nel 1948, in un articolo pubblicato dalla rivista «Crimen», settimanale di criminologia e polizia scientifica, per la prima volta comparve il termine 'ndrangheta. Nell'articolo si faceva riferimento ad alcune bande organizzate di delinquenti che sottoponevano le pacifiche popolazioni dei villaggi e dei piccoli centri a ogni sorta di angherie e soprusi. Ma non cambiò nulla, almeno nella percezione del problema che continuò a rimanere ai margini del dibattito politico. Perché?*

Il fascismo aveva combattuto la 'ndrangheta commettendo l'errore di considerarla una forma di delinquenza rurale. E nelle campagne molti capibastone frequentarono camere del lavoro e sezioni socialcomuniste. Diversamente dalla Sicilia, la Calabria, nelle prime elezioni amministrative del dopoguerra, vide affermarsi la Democrazia cristiana, la quale più che combattere la 'ndrangheta pensò di politicizzarla. L'obiettivo era quello di impedire che la mafia delle 'ndrine potesse convogliare i voti delle masse verso le opposizioni di sinistra. L'occasione venne offerta da una fucilata che alla vigilia di ferragosto del 1955, per sbaglio, colpì l'auto sulla quale viaggiava la moglie di Antonio Capua, sottosegretario al ministero dell'Agricoltura nel governo presieduto da Mario Scelba.

In Calabria venne spedito un altro prefetto, Carmelo Marzano, che si era fatto la fama di duro partecipando in Sicilia alle ricerche del noto bandito Salvatore Giuliano. Marzano adottò subito la linea risoluta, utilizzando metodi non molto diversi da quelli del prefetto Cesare Mori.

In Calabria legò il suo nome a un'imponente retata che si concluse con l'arresto di duecentosessantuno persone, molte delle quali furono inviate al confino di polizia, una misura di prevenzione simile al domicilio coatto, introdotta nel 1875. Venne chiesta anche la revisione delle licenze per il porto d'armi che, grazie alle lettere di referenza di politici e sacerdoti, venivano concesse con grande disinvoltura.

Nella rete di Marzano finirono anche sindaci e assessori comunali in odore di 'ndrangheta. Al resto pensò l'emigrazione che assieme a tanta gente onesta portò lontano dalla Calabria anche 'ndranghetisti smaniosi di affrancarsi da una realtà che era stata ulteriormente segnata dall'alluvione del 1951. In quegli anni l'analfabetismo aveva indici da Terzo Mondo e il reddito pro capite dei calabresi era il più basso d'Italia.

Marzano, dopo 57 giorni di dura repressione, venne richiamato a Roma. Alcuni studiosi sostengono che nella politicizzazione della 'ndrangheta ci abbia messo lo zampino anche Frank Bruno Gigliotti, un pastore protestante di origine calabrese, emigrato con la famiglia negli Stati Uniti.[2] Gigliotti, che ebbe contatti prima con l'Office of Strategic Services, e poi con la Cia, venne inviato in Italia per preparare lo sbarco degli Alleati. Fu lui, per esempio, a convincere la massoneria italiana – in cambio della restituzione di palazzo Giustiniani, sede storica del Grande Oriente d'Italia – ad accogliere tra le proprie file la loggia segreta del principe Alliata di Monreale, un agrario siciliano indagato e prosciolto per la strage di Portella della Ginestra. Sarebbe stato lui a convincere il governo Scelba a spezzare l'intreccio che si era creato tra 'ndranghetisti e socialcomunisti, così come aveva fatto in Sicilia, utilizzando la mafia per contrastare il potere dei socialcomunisti che alle elezioni amministrative del 1947 avevano ottenuto il 29,13% dei voti contro il 20,52% della Democrazia cristiana.

Dopo la fucilata all'auto della moglie del sottosegretario Antonio Capua, la 'ndrangheta per la prima volta fu oggetto di un lungo dibattito parlamentare. Molti, però, si girarono ancora dall'altra parte, facendo finta di non capire.

C'erano altre cose a cui pensare. Nel 1955 la Calabria era finita sulle prima pagine di tutti i giornali per una vampata d'orrore. A Presinace, piccola frazione del comune di Rombiolo, nel cuore di una delle più desolate contrade dell'allora provincia di Catanzaro [oggi il comune è in provincia di Vibo Valentia], Serafino Castagna, un contadino di 34 anni, aveva ucciso cinque persone, tra cui il padre. Castagna aveva deciso di ribellarsi alla 'ndrangheta che gli aveva imposto di diventare assassino. Dopo la condanna, decise di raccontare in un libro la propria vita, rivelando quel mondo oscuro pieno di regole che nessuno aveva mai compreso fino in fondo. La 'ndrangheta era vista solo come un problema di ordine pubblico.

Erano gli anni in cui, come scrive Corrado Alvaro, non si trovava sconveniente accompagnarsi con uno 'ndranghetista, soprattutto «per la confusione di idee ... a proposito di giustizia e d'ingiustizia, di storto e di diritto, di legale e di illegale e per gli abusi veri e presunti di chi in qualche modo deteneva il potere».[3]

Nel 1959, in una relazione al ministro dell'Interno, il prefetto di Reggio Calabria segnalava i legami delle 'ndrine con esponenti politici, ai quali mantenevano sottomano la clientela elettorale. I leader politici calabresi, durante le campagne elettorali, si facevano accompagnare dai boss della 'ndrangheta e nessuno si preoccupava più di tanto. Un vezzo ancora attuale.

Poi gli interessi diventarono sempre più convergenti?

La decisione di spostare il capoluogo a Catanzaro era stata presa a cena in un ristorante di Roma. A tavola sedevano i politici calabresi più potenti di allora che, come si racconta, si spartirono il futuro della Calabria: il capoluogo a Catanzaro, l'università a Cosenza e per Reggio, che non aveva santi in paradiso, qualche industria. Poi arrivarono i «boia chi molla», seguiti dalla destra eversiva che si portò dietro terroristi, servizi deviati, P2 e 'ndrangheta. Ma quella di Reggio non fu solo una rivolta di piazza. Il 22 luglio 1970 una bomba fece deragliare a Gioia Tauro la Freccia del Sud, il direttissimo Palermo-Torino, causando sei morti e decine di feriti. Qualche mese dopo, cinque giovani anarchici reggini che sostenevano di aver trovato le prove sulla matrice eversiva del deragliamento, vennero investiti da un tir che trasportava un carico di conserve ed era guidato da un autista che lavorava per un'azienda di proprietà del principe Junio Valerio Borghese. Pochi giorni prima era scomparso a Palermo il giornalista Mauro De Mauro: il suo corpo non è mai stato ritrovato e si presume sia stato assassinato per aver scoperto i piani del golpe. Troppe coincidenze per una strage che forse serviva per coprirne un'altra. Uno dei cinque anarchici prima di partire per Roma raccontò alla madre di aver scoperto cose che avrebbero fatto tremare l'Italia. Di quei documenti sull'auto dei cinque anarchici reggini non rimase traccia.

Si riuscì a trovare qualche riscontro?

Alcuni riscontri emersero nel 1994 in una indagine del giudice istruttore del tribunale di Milano, Guido Salvini, che indagava su alcuni episodi della cosiddetta «strategia della tensione». Carmine Dominici e Giacomo Lauro, il primo ex esponente di Avanguardia Nazionale e il secondo ex trafficante di droga legato alla 'ndrangheta, confermarono che il deragliamento della Freccia del Sud era stato causato da una carica di esplosivo posta sui binari. Domenici e Lauro citarono anche i nomi degli esecutori materiali (nel frattempo deceduti, come nelle più torbide vicende italiane), indicando i presunti mandanti tra gli ideatori e i fomentatori della rivolta dei «boia chi molla», cioè negli ambienti della destra eversiva, della stessa 'ndrangheta e della massoneria. Altri collaboratori di giustizia hanno invece raccontato di aver partecipato con Junio Valerio Borghese, Stefano Delle Chiaie, Franco Freda e altri estremisti di destra a una serie di incontri avvenuti nella casa del marchese Felice «Fefè» Zerbi, ritenuto uno dei finanziatori dei moti di Reggio.

Il neofascista triestino Vincenzo Vinciguerra, condannato all'ergastolo per la strage di Peteano, in provincia di Gorizia, in cui il 31 maggio 1972 morirono tre carabinieri, riferì al giudice Salvini di un centinaio di esponenti della 'ndrangheta «pronti a entrare in azione», a Milano, agli ordini di Junio Valerio Borghese. Era credibile?

Giacomo Lauro e Filippo Barreca, ex 'ndranghetisti, oggi collaboratori di giustizia, hanno confermato i legami della 'ndrangheta con frange eversive dell'estrema destra. Lauro ha dichiarato di aver consegnato personalmente a Vito Silverini, un fascista che partecipò ai moti di Reggio, l'esplosivo utilizzato per far deragliare la Freccia del Sud. Furono i De Stefano a ospitare in Calabria Franco Freda, prima della fuga in Costarica con un passaporto rilasciato dalla questura di Reggio Calabria e intestato a un certo Mario Vernaci Saccà, cugino dei De Stefano.

In quegli anni il boss Paolo De Stefano era in contatto anche con la Banda della Magliana. Se poi avesse avuto a disposizione a Milano anche cento uomini pronti a entrare in azione non lo so.

Dopo i moti di Reggio, arrivarono i finanziamenti della Cassa per il Mezzogiorno. Uno dei primi magistrati a capire l'evoluzione della 'ndrangheta fu Agostino Cordova, ex procuratore di Palmi e Napoli, con il quale lei ha collaborato in alcune inchieste.

Un magistrato straordinario. Fu lui a fare le prime indagini sulla Liquichimica di Saline Ioniche, lo stabilimento voluto dall'allora re della chimica Raffaele Ursini [calabrese di Roccella Ionica] per la produzione di bioproteine sintetiche. Agli Iamonte e agli altri clan del Basso Ionio reggino andò la fetta più grossa. La beffa arrivò a lavori ormai avanzati, quando si scoprì che quell'enorme complesso industriale avrebbe prodotto sostanze cancerogene. La 'ndrangheta in quegli anni mise le mani dappertutto, partecipando ai lavori per lo sbancamento dell'area destinata al porto di Gioia Tauro e al Quinto centro siderurgico, ma anche a quelli per la costruzione dell'autostrada Salerno-Reggio Calabria e per il raddoppio della linea ferroviaria sui versanti ionico e tirrenico.

È vero che lo sbancamento della zona destinata alla realizzazione del Quinto centro siderurgico venne affidato ai Piromalli senza indire alcuna gara?

Così accertarono le indagini. A metà degli anni Settanta il consorzio dell'area industriale di Reggio Calabria affidò il disboscamento della zona al boss Gioacchino Piromalli [fratello del più noto Girolamo, detto Mommo]. E fu proprio Piromalli, in rappresentanza degli imprenditori reggini, a ricevere l'allora ministro del Bilancio Giulio Andreotti alla cerimonia per l'inizio dei lavori. Anche il centro siderurgico costituì una grande opportunità per le cosche reggine. Come emergerà nel processo contro Paolo De Stefano e altri 59 imputati, i clan di Antonio Macrì, dei fratelli Piromalli e dei fratelli De Stefano nel settembre 1974 rifiutarono la percentuale del 3% offerta loro dagli operatori economici perché ritenuta esigua. Fu così che i clan riuscirono a imporre alle aziende appaltatrici le proprie condizioni, si fecero cioè affidare il trasporto della sabbia e dei materiali inerti.

In quegli anni centinaia di braccianti, coltivatori diretti, commercianti e impiegati – in gran parte prestanome e parenti dei boss – dalla sera alla mattina si improvvisarono autotrasportatori al servizio dei clan mafiosi.

Gli imprenditori si adeguarono alla realtà riconoscendo l'effettiva autorità mafiosa a fronte di quella dello Stato, che si rivelò inefficiente. Fu un calcolo economico: per molti il danno derivante dal pagamento delle mazzette era inferiore a quello provocato dai danneggiamenti degli attentati. E così, con i fondi pubblici, sorse una generazione di imprenditori mafiosi, specializzati nella fornitura e nel trasporto di materiali inerti, ma soprattutto nella sorveglianza dei cantieri con il vecchio sistema sperimentato nell'Ottocento: cioè determinare il disordine per garantire l'ordine.

Venne creato anche un consorzio mafioso che controllava 111 aziende di trasporto dei materiali estratti dalle cave di Limbadi. Fu un enorme affare.

Da decenni la storia si ripete: i grandi appalti vengono vinti da imprese insospettabili, ma i subappalti finiscono tutti in mano mafiosa. Con quale risultato?

Qualcuno lo ha definito il prezzo della tranquillità. A metà degli anni Sessanta, quando cominciarono i lavori per il complètamento dell'ultimo tratto dell'Autostrada del Sole, ad aggiudicarsi gli appalti furono le grandi imprese del Nord che, per non correre il rischio di attentati e danneggiamenti, si affrettarono ad affidare i subappalti ai clan della 'ndrangheta.

I vantaggi per le cosche furono evidenti: oltre ai subappalti, vennero assunti mafiosi o parenti di mafiosi e di confinati per garantire la sicurezza dei cantieri. Per coprire i costi della sicurezza, le imprese richiesero, e ottennero, la revisione dei prezzi e le varianti in corso d'opera dei lavori appaltati. Quello che doveva costare 100 finì per costare 120, con la complicità del potere politico. Successe la stessa cosa con la costruzione del Quinto centro siderurgico con una lievitazione dei prezzi del 15%. Chi doveva controllare guardò dall'altra parte. Poi le 'ndrine si inventarono il metodo delle associazioni temporanee di imprese, che consentì alle imprese vincitrici degli appalti di allargarsi e di associarsi con quelle che non erano risultate aggiudicatarie, grazie al controllo quasi totale delle cave e degli alvei dei fiumi per l'estrazione della sabbia e degli inerti. Nel periodo compreso tra il 1979 e il 1983, circa 23 miliardi di lire finirono nelle mani dei clan più potenti della piana di Gioia Tauro, di cui 14,5 al clan Piromalli, 3,2 al clan Mancuso di Limbadi, 2,2 al clan Pesce, 0,56 al clan Bellocco, 0,53 al clan Crea di Rizziconi, 0,26 al clan Mammoliti di Castellace e 0,17 al clan Avignone di Taurianova. Negli ultimi quarant'anni pezzi interi dell'economia calabrese sono finiti nelle mani della 'ndrangheta. E le poche inchieste hanno soltanto accertato quello che tutti già sospettavano, e cioè la complicità delle 'ndrine con gran parte del potere politico. Purtroppo, la 'ndrangheta vota e fa votare.

Fu così anche con la centrale a carbone di Gioia Tauro?

Nel 1967 la zona destinata alla costruzione della centrale a carbone era stata dichiarata «territorio di notevole interesse pubblico per la presenza di tradizionali coltivazioni, di entità tale da creare numerosi quadri naturali di suggestiva bellezza panoramica». In quella stessa zona erano venuti alla luce i resti di Medma, una colonia della Magna Grecia. Nonostante tutto, il 4 dicembre 1981, il Cipe (Comitato interministeriale per la programmazione economica) indicò nella piana di Gioia Tauro la zona in cui impiantare una grande centrale a carbone, stanziando ben 5625 miliardi. L'Enel, pur non avendo ricevuto l'autorizzazione del Genio civile, il via libera dalla sovrintendenza ai Beni archeologici e ambientali della Calabria, nonché il parere del ministero dell'Ambiente, dette subito inizio ai lavori. Fu ancora Agostino Cordova a mettersi di traverso con una perizia sismologica che sconsigliava la costruzione dell'impianto in una della aree più a rischio della Calabria. Una controperizia dell'Enel, però, spazzò via ogni dubbio. Il 19 luglio 1990, cioè in prossimità di Mani Pulite, la procura di Palmi decise di mettere il naso nell'assegnazione dei subappalti, disponendo la chiusura dei cantieri. La vicenda finì in cassazione che, con una decisione della prima sezione, accolse il ricorso dell'Enel. Un anno dopo, l'11 novembre 1991, l'allora presidente del Consiglio Giulio Andreotti dette via libera per decreto alla prosecuzione dei lavori, sostituendosi al Cipe e ignorando la valutazione sull'impatto ambientale. Nella richiesta di rinvio a giudizio dei responsabili dell'Enel, i magistrati della procura di Palmi così scrivevano: «La presente indagine ha messo a nudo nuovamente ed emblematicamente il punto dell'intreccio tra mafia e corruzione politica e, più specificamente, il sistema di governo che da sempre ha gestito l'intervento pubblico al Sud e il patto di ferro tra Stato e mafia».

La conferma di questo intreccio fu trovata in un codice scoperto nel 1989 nel covo di un latitante, Giuseppe Chilà. La Santa, cioè quella forma di pluralismo associativo che aveva favorito gli intrecci tra 'ndrangheta, politica e massoneria deviata, aveva smesso di ispirarsi alla vecchia tradizione dei tre cavalieri spagnoli Osso, Mastrosso e Carcagnosso e aveva cominciato a utilizzare come referenti uomini simbolo della libera muratoria, come Giuseppe Garibaldi, Giuseppe Mazzini e Alfonso Ferrero La Marmora. La Calabria d'altronde garantiva un ottimo terreno di coltura per sinergie di questo tipo. Secondo la commissione parlamentare d'inchiesta sulla massoneria, negli anni Ottanta e nei primi anni Novanta, in Calabria c'erano circa 2500 «cappucci», molti dei quali appartenenti a logge coperte e dunque vietate dall'articolo 18 della Costituzione.

Che cosa cambiò con la formazione della Santa?

Per la prima volta nella storia della 'ndrangheta venne permessa la doppia affiliazione. Alla Santa potevano accedere solo i vertici dell'organizzazione, elementi selezionati che entrarono in contatto con medici, ingegneri, avvocati, magistrati. Significava penetrare negli ambienti in cui si prendevano le decisioni importanti. Nuove regole sostituirono quelle tradizionali, le quali non scomparvero del tutto, ma restarono in vigore solo per la base della 'ndrangheta. Nacque un nuovo livello organizzativo, appannaggio degli uomini di vertice che acquisirono la possibilità di muoversi liberamente tra apparati dello Stato, servizi segreti e gruppi eversivi. Attraverso questi collegamenti, la 'ndrangheta riuscì a trovare non soltanto nuove occasioni per i propri investimenti economici e per le proprie movimentazioni finanziarie e bancarie, ma soprattutto sbocchi impensabili nella politica e nella pubblica amministrazione, e quella copertura realizzata in vario modo (depistaggi, vuoti d'indagine, attacchi di ogni tipo ai magistrati non arrendevoli, aggiustamenti dei processi) cui fece seguito una sostanziale impunità della 'ndrangheta, ma anche una sua capacità di rendersi invisibile agli occhi delle istituzioni. Persino l'attività di confidente, un tempo simbolo dell'infamia, venne consentita, soprattutto quando serviva a stabilire relazioni o scambi utili con rappresentanti dello Stato, o per depistare l'attività investigativa verso obiettivi minori.

Qualcuno capì e pagò con la vita. Mi riferisco all'avvocato dello Stato Francesco Ferlaino, ucciso a Nicastro, oggi Lamezia Terme, nel 1975.

È un delitto rimasto impunito. Forse aveva intuito questi cambiamenti in seno alla 'ndrangheta, ma soprattutto in seno alla massoneria. E forse venne ucciso proprio perché non si era adeguato a questi cambiamenti. Ma non riusciremo mai a saperlo.

Come si svilupparono i rapporti con la politica?

Il legame col potere politico in Calabria non è mai stato meno inquinante che in Sicilia, anche se c'è stata sempre una differenza vistosa, dovuta probabilmente al minor peso specifico della Calabria – rispetto alla Sicilia – nella politica nazionale. I rapporti della 'ndrangheta col potere si sono articolati prevalentemente attraverso una penetrazione capillare nelle amministrazioni locali, come dimostrano i tanti consigli comunali sciolti per infiltrazioni mafiose.

Comunque, anche su alcuni parlamentari calabresi è gravato il sospetto di ambigui condizionamenti elettorali.

Ricordo un convegno del 1976, nel quale il magistrato reggino Giuseppe Tuccio disse: «Ho notato in quest'aula, per parlarci chiaro, troppi medici sospetti al capezzale dell'ammalato». Si riferiva ai politici, ma anche ad alcuni magistrati, avvocati, medici divisi tra dovere professionale e connivenza. Fece scalpore a Locri, per esempio, la vicenda di Vincenzo Macrì, un boss del narcotraffico. Doveva essere processato, ma un medico dell'ospedale che lo aveva in cura certificò che l'imputato era intrasportabile per un cancro alla vescica. Macrì fu condannato, e subito dopo, ottenuta la libertà provvisoria, uscì dal carcere «camminando spedito incontro agli amici e ai parenti festanti». Per tornare ai politici, ci sono stati anche processi a carico di parlamentari calabresi, chiamati in causa da alcuni collaboratori di giustizia, ma non sempre condannati.

Un notaio di Reggio Calabria, Pietro Marrapodi, negli anni Novanta aveva cominciato a collaborare, raccontando i contorni di quella zona grigia nella quale convivevano 'ndranghetisti, politici e faccendieri. Parlò anche di una costituenda società che avrebbe dovuto spartirsi con traffici illeciti tutti i proventi del decreto Reggio [la legge n. 246 del 1989] per un importo di seicento miliardi di lire. Pochi mesi prima dell'inizio del processo, si tolse stranamente la vita. Un altro suicidio anomalo?

Avrebbe potuto spiegare meglio le dinamiche sui comitati di affari e sugli intrecci tra poteri forti. Ne era stato testimone. Li aveva vissuti in prima persona. Per sua ammissione aveva avuto contatti con il clan De Stefano, con la massoneria e con ambienti politico-istituzionali della provincia di Reggio Calabria. Secondo il collaboratore di giustizia Giacomo Lauro, Marrapodi era stato anche socio di un cugino di Paolo De Stefano nella costruzione di un villaggio turistico a Bova Marina. Se si è ammazzato o se ne hanno simulato il suicidio, questo non lo so.

III

I sequestri di persona

«Aspromonte impenetrabile. E quindi inviolabile. Come lo poteva essere l'isola della Tortuga in cui trovavano rifugio i pirati dopo i mille assalti ai galeoni carichi d'oro e di ricche mercanzie ...

«Sorvolando le cime aspromontane, verso le "trincee" antisequestri, sulla retta che da Reggio Calabria idealmente porta a Canolo Nuovo, paesino situato a mille metri di quota laddove l'Aspromonte si salda alle Serre, il panorama è così bello da mozzare il fiato: spettacolari cascate, laghetti naturali dovuti a singolari fenomeni idrogeologici, canyon impressionanti, fantastiche pietre dalle forme strane, straordinarie distese di pini aguzzi che si presentano come enormi e minacciosi spilli puntati verso il cielo, formazioni miste di faggio e abete bianco e di faggio e pioppo ... E un po' dovunque, sui crinali e sui cocuzzoli, i tanti paesini, macchie di case grigie e amaranto appese a grappoli alla montagna.

«Sembra impossibile violare questo santuario della natura immenso e caro ai naturalisti perché ci sono "nicchie" di flora e fauna di enorme pregio ambientale. E appare difficile arrivare nei paesi che si presentano lontani, isolati, irraggiungibili, se non provando l'ebbrezza di un approdo dal cielo. Ma ci sono, eccole, le strade fatte dall'uomo, le vecchie "rotabili" che si inerpicano in tunnel nella boscaglia e poi d'un tratto si mostrano contratte e aggrovigliate come le bisce che sui prati d'agosto stanno guardinghe, in un naturale atteggiamento di difesa.

«Su questa montagna, tra anfratti e dirupi inviolati, si combatte l'eterna lotta tra il bene e il male ...

«Le gesta recenti di cosche proterve, delle varie anonime e dei tanti sequestri hanno posto ancora e di più questa montagna al centro della cronaca e sotto i riflettori dell'attenzione internazionale inducendo molti all'equazione Aspromonte uguale Anonima sequestri. Possibile, si chiedono in molti, che lo Stato abbia rinunciato alla sovranità su un pezzo del proprio territorio abbandonandolo al dominio del crimine? Possibile che la 'ndrangheta sia così potente da tenere eternamente in scacco le forze dell'ordine? Possibile che le famiglie dedite ai sequestri si possano muovere spesso impunemente, possano colpire in Calabria e al Nord, e poi con sicurezza sfacciata, da qualche parte ben nascosto, tenere qui l'ostaggio in cattività rischiando poco o nulla? È possibile. Standò almeno a quello che da diversi anni accade, nonostante i proclami di guerra dello Stato.»[1]

Pantaleone Sergi

La geografia concorse dunque a rendere i sequestri di persona la truce specializzazione della mafia calabrese. I clan coinvolti in questa attività furono favoriti non solo dalla sospetta pigrizia dei pubblici poteri, ma anche da una montagna, l'Aspromonte, che divide in due la provincia di Reggio, offrendo tortuosi anfratti per la custodia degli ostaggi.

Secondo dati forniti dal ministero dell'Interno, 207 dei 570 rapimenti a scopo estorsivo compiuti in Italia dal 1970 al 1988 vennero realizzati da clan legati alla 'ndrangheta. Dal 1963 al 1990 centoventuno persone sono state sequestrate in Calabria. Il sequestro più eclatante fu quello di Paul Getty junior, nipote del celebre magnate americano, rapito nella notte tra il 9 e il 10 luglio 1973 a Roma e rilasciato 158 giorni dopo dietro il pagamento di un riscatto di un miliardo e settecento milioni di lire. Molti ricordano ancora l'orecchio mozzato che venne spedito al «Messaggero» per convincere i familiari del giovane ostaggio a trattare con i rapitori. L'entrata in vigore nel 1991 della legge sul congelamento dei beni dei sequestrati rese meno allettante questo business, presto soppiantato dal massiccio coinvolgimento dei clan calabresi nel traffico di sostanze stupefacenti.

Come nacque l'idea dei sequestri?

Il sequestro di persona è uno dei reati più antichi. Giulio Cesare fu rapito a 22 anni mentre stava navigando per Rodi da una banda di corsari che lo tenne in ostaggio due mesi, finché non fu pagato un riscatto. In Calabria il sequestro di persona è da sempre un'industria. Racconta Pantaleone Sergi nella prefazione a un libro di Filippo Veltri sui sequestri di persona che nell'ottobre 1764 due galantuomini di Domanico, un paese del Cosentino, vennero rapiti assieme a due loro servitori, e che per tornare in libertà furono costretti a pagare cinquanta ducati.[2] In Sardegna i sequestri sono un residuo pastorale. L'abigeato, cioè il furto di bestiame, era tra i reati maggiormente diffusi nella Barbagia. La riconversione delittuosa avvenne quando gruppi di pastori si resero conto che era più proficuo rubare uomini che animali. Il primo sequestro di cui si ha notizia, attraverso i giornali, avvenne vicino a Nuoro nel 1875 ai danni di Antonio Meloni Gaja di Mamoiada, un ricco possidente della zona. Da allora, secondo alcuni calcoli del ministero dell'Interno, ci sono stati 910 sequestri di persona, dei quali 694 negli ultimi cinquant'anni; dei rapiti una sessantina erano donne e una trentina bambini. In Calabria la lunga stagione dei rapimenti gestiti dalla 'ndrangheta cominciò molto più tardi, il 2 luglio 1963, quando venne sequestrato Ercole Versace, un ricco possidente di Delianuova. L'ostaggio, forse per l'inesperienza dei sequestratori, riuscì a liberarsi e a tornare a casa. Nel 1970 a cadere nelle mani della 'ndrangheta fu Renato Caminiti, un notissimo professionista di Villa San Giovanni, docente universitario a Messina. Fu un altro sequestro lampo che però fruttò ai rapitori 30 milioni.

A quali clan furono attribuiti i primi sequestri?

A quelli del versante tirrenico. Poi a specializzarsi in questo business furono i clan della Locride, quelli che agivano nel triangolo compreso tra San Luca, Platì e Natile di Careri. Grazie ai sequestri molti clan riuscirono ad accumulare le risorse da investire nella costruzione delle imprese. I Mammoliti, i Piromalli e i Rugolo, per prepararsi agli annunciati investimenti per la costruzione del porto di Gioia Tauro e del Quinto centro siderurgico, sequestrarono, come abbiamo poc'anzi ricordato, Paul Getty. Per la stessa ragione i Nirta realizzarono un sequestro nella zona ionica della provincia reggina. Secondo Enzo Fantò, autore di un libro sulle imprese a partecipazione mafiosa, per una certa fase ci fu una sorta di rapporto complementare tra spesa pubblica e sequestri di persona, nel senso che a ogni investimento pubblico annunciato per un certo territorio corrisposero quasi simultaneamente uno o più sequestri di persona, compiuti dalla 'ndrangheta in Calabria e in altre regioni. Dal 1970 al 1977, gli anni cruciali della formazione delle imprese mafiose nel comparto edile e dei lavori pubblici in Calabria, si verificarono ventuno sequestri nella zona di Palmi, sette nel Reggino e otto nel comprensorio di Locri.

Fu quindi la volta dei sequestri in trasferta, soprattutto in Lombardia e Piemonte, dove vivevano numerosi esponenti della 'ndrangheta. Un altro segnale della sottovalutazione della mafia calabrese?

I sequestri erano frutto di una pianificazione attenta, meticolosa e non certo il risultato di un branco di pastori. Invece questo aspetto dei sequestri venne sottovalutato. Si fece più attenzione alla rozzezza dei carcerieri aspromontani che non alla professionalità dell'organizzazione, i cui membri erano capaci di trasferire ostaggi anche sulla lunga distanza senza mai essere scoperti.

Dopo il rapimento di Paul Getty, il sequestro di persona venne considerato il reato emblema della criminalità calabrese. Nacque così l'immagine della 'ndrangheta come organizzazione agropastorale, meno raffinata rispetto a Cosa Nostra.

Soprattutto all'estero, l'orecchio mozzato al giovane Getty fece notizia. Molti inorridirono per quel gesto che ricordava i pastori della Barbagia, la Carta de Logu, la raccolta di leggi consuetudinarie di diritto civile e penale, promulgata da Eleonora d'Arborea intorno al 1392 e che prevedeva tra l'altro la mutilazione dell'orecchio per i ladri di bestiame. La notizia del sequestro di Getty fece il giro del mondo e la Calabria tornò a essere quel covo di banditi annidato sui piani di Steccato e di Zervò, sulle balze di Platì e di San Luca, nei terreni di nessuno di Piminoro, Oppido Mamertina e Castellace, nei piani di Carmelia, o ancora nelle sterminate campagne di Sinopoli, Melicuccà, Seminara e Cardeto, luoghi che segnavano la «geografia dei sequestri».

Un altro sequestro eclatante fu quello di Cesare Casella, il giovane rapito a Pavia il 18 gennaio 1988 e rilasciato dopo 743 giorni di prigionia. In un libro pubblicato dopo la liberazione, Casella ha raccontato di quando, chiuso in una buca dell'Aspromonte, sentì il suono di campanacci che saliva dal bosco e due uomini che parlavano tra loro. Disse di aver cercato invano di richiamare la loro attenzione. Come potevano succedere certe cose?

In molti paesi la 'ndrangheta fu capace di creare una particolare economia legata alla gestione materiale dei sequestri. Per la custodia degli ostaggi vennero utilizzati latitanti e giovani affiliati alle cosche. Così una quota del riscatto entrò nel circuito economico di alcuni paesi aspromontani, soprattutto con la costruzione di case. A Bovalino, nella Locride, per esempio, c'è un quartiere che gli abitanti chiamano Paul Getty, costruito con i soldi di quel sequestro. Alcuni boss fecero credere che i sequestri fossero un mezzo per garantire una più equa distribuzione della ricchezza. Gli ostaggi appartenevano a famiglie abbienti. E quindi potevano permettersi di pagare il riscatto.

Poi cominciarono ad accadere fatti strani con l'arrivo in Calabria di una serie di personaggi legati ai servizi segreti, faccendieri di varia estrazione e confidenti della polizia. Si parlò di sequestri di serie A e di sequestri di serie B.

Anch'io ho sentito storie simili, ma nessuno è mai riuscito a verificarle in sede giudiziaria. I sequestri avvenuti al Nord avevano un impatto mediatico diverso. C'era più pressione sulle forze dell'ordine e su quegli investigatori che venivano appositamente mandati in Calabria per indagare. C'era di mezzo la loro reputazione in un ambiente difficile, dove i poliziotti e i carabinieri agli occhi dei mafiosi appaiono come uomini in servizio ventiquattro ore al giorno. In quegli anni venne istituito un nucleo speciale per dare la caccia ai sequestratori. Poco più di mille uomini che però non avevano conoscenza del territorio e ancor meno dell'Aspromonte. Il sistema era quello della caccia alla volpe in Inghilterra: grande dispiegamento di forze, rastrellamenti e poca investigazione; non c'era il tempo, la tranquillità, la giusta concentrazione, da Roma facevano troppa pressione. Spesso succedevano cose strane: ostaggi malnutriti e ridotti a larve umane che, sbucando dal nulla, sostenevano di essersi liberati dai catenacci con cui erano stati legati nelle loro prigioni. E per incanto incontravano sulla loro strada macchine della polizia o dei carabinieri pronti a soccorrerli. Tutta una serie di racconti inverosimili che nessuno è andato a verificare.

Perché la 'ndrangheta decise di porre fine ai sequestri?

Forse perché capì che si poteva guadagnare di più con il traffico di droga. E poi perché, con l'entrata in vigore della legge sul congelamento dei beni del sequestrato, gestire il pagamento del riscatto sarebbe stato molto più difficile. La decisione di non compiere più sequestri, comunque, coincise con la pace siglata a Reggio Calabria nel 1991 che pose fine a una sanguinosissima guerra iniziata nel 1985. La pace, come riuscimmo ad accertare nel corso di una intercettazione ambientale, portò alla creazione di una sorta di organismo di raccordo tra le cosche per limitare i cruenti conflitti interni e per migliorare sensibilmente la gestione dell'elevato volume di affari in mano alla 'ndrangheta. La droga prese poi il sopravvento.

IV

Il traffico di droga

«Ancor prima di vedere le case rustiche arroccate sulla schiena della montagna "come quei nidi di creta che fanno i calabroni intorno a uno spino indurito", noti lo scheletro in cemento armato di una villa di tre piani sfacciatamente edificata sul dorso d'una collina. E credi di capire perché il più illustre cittadino di San Luca, Corrado Alvaro, a un certo punto smise di frequentare il paese. Fu una premonizione, forse. La vista dello scheletro della villa ti accompagna anche dopo che la comparsa del paese vecchio per un attimo ti ha restituito l'immagine poetica dei nidi di calabrone. E quando finalmente se ne va, ecco un altro scheletro, ecco i ferri acuminati del cemento armato, la periferia grigia, le porte chiuse. È così brutta "la Betlemme della 'ndrangheta" ... che suscita il sospetto di un travestimento. Un modo per non dare nell'occhio. Pensi alla casupola di Bernardo Provenzano, ai poveri vestiti di Totò Riina. Se questa è la sede sociale di una organizzazione criminale che fattura ogni anno 44 miliardi di euro, deve pur esserci una strategia dietro tanta desolazione. Ma quando scopri la banale verità, il disgusto estetico si muta in compassione. Povera San Luca e povera la sua gente con la bocca cucita, che della 'ndrangheta si prende solo il fango.»[1]

Giovanni Maria Bellu

Come ha fatto la 'ndrangheta a ottenere quasi il monopolio del traffico di cocaina in Europa?

Era un'accozzaglia di pastori scesa dalle montagne per fare soldi con i sequestri di persona. O almeno così era vista. Cosa Nostra, invece, quando ancora la cocaina era una droga d'élite, trafficava in eroina, tenendo i contatti con la mafia turca, ma anche con organizzazioni terroristiche, come i Lupi Grigi, considerati responsabili dell'attentato a Giovanni Paolo II. La mafia siciliana aveva anche rapporti con le famiglie americane di Cosa Nostra, alle quali faceva pervenire l'eroina raffinata a Palermo. In Calabria i pochi clan dediti al traffico di droga dipendevano dai siciliani, alcuni dei quali si erano trasferiti nel Crotonese e nella Sibaritide, come Pietro Vernengo, uno degli esponenti di vertice della famiglia di Santa Maria di Gesù, fratello di Antonino, detto «u dutturi», chimico espertissimo, capace di raffinare eroina in quantità industriali nei dintorni di Palermo. O come il nipote di Francesco Di Cristina, il boss di Cosa Nostra a Riesi, noto anche per la carta-souvenir che i suoi familiari fecero stampare dopo la sua morte avvenuta nel 1961, nella quale, per la prima volta, comparve la parola «mafia», sia pure intesa come virtù e nobiltà di sentimenti. Uno dei primi sequestri venne fatto a Villa San Giovanni, quando all'interno di una Bmw proveniente dalla Sicilia vennero trovati venti chili di eroina. Alcune famiglie come i D'Agostino di Sant'Ilario e i Romeo-Giorgi di San Luca ebbero anche rapporti diretti con gli emissari dei *babalar*, i capi di quella che oggi è conosciuta come la mafia turca delle armi e della droga. Allora i *babalar* erano i mediatori della morfina base proveniente da tutta l'Asia sudoccidentale, quella Mezzaluna d'oro che abbraccia l'Iran, il Pakistan e l'Afghanistan, la più vasta regione produttrice d'oppio della terra. In quegli stessi anni, i De Stefano di Reggio Calabria cominciarono a importare ingenti partite di hashish libanese, utilizzando il porto di Saline Ioniche.

Come ha fatto a soppiantare Cosa Nostra?

I clan della Locride, non avendo un ricco territorio da sfruttare, sono sempre stati più avventurosi. Quando la cocaina cominciò a diventare sballo di massa, presero a trattare direttamente con i cartelli colombiani di Cali e Medellín, investendo i soldi che avevano messo da parte con i sequestri di persona, gli appalti e le estorsioni. Roberto Pannunzi, legato alle 'ndrine di Siderno, andò a vivere a El Poblado, il più ricco quartiere di Medellín, in Colombia. Altri, come Oreste Giovanni Squillaci e Vincenzo Gullì, entrambi di Roccaforte del Greco, si trasferirono in Bolivia. Altri ancora, come Pasquale Mollica, in Argentina. Era tutta gente capace di navigare nel mare di quattrini e grattacapi che la cocaina produce. Uno dei primi a finire in manette fu Squillaci, fermato nel marzo 1982 all'aeroporto di Fiumicino con quattro chilogrammi di cocaina proveniente da Santa Cruz.

Il salto di qualità avvenne negli anni Novanta, mentre Cosa Nostra era impegnata nello stragismo. Trafficanti di droga, come Paolo Sergi, cominciarono a importare cocaina in grandi quantità grazie a detenuti colombiani conosciuti nelle carceri francesi. La cocaina arrivava dalla Colombia, ma anche dall'Argentina e in particolare da La Plata. Ricordo una delle mie prime inchieste. Arrestammo diversi calabresi che importavano cocaina in auto d'epoca. Erano Ford T4 di colore rosso, la droga era nascosta nell'imbottitura dei sedili. Il destinatario era un meccanico di Gioiosa Ionica.

Quando avete avuto conferma dei nuovi rapporti di forza?

Nei primi anni Duemila, mentre stavamo indagando su un traffico di droga con un agente sotto copertura in Colombia. Salvatore Miceli, noto come il ministro degli Esteri di Cosa Nostra, dopo aver ordinato una partita di cocaina per conto della famiglia di Mariano Agate, rappresentante provinciale di Cosa Nostra a Trapani e uomo di fiducia di Totò Riina, non era riuscito a pagarla ed era stato preso in ostaggio da un clan di narcos colombiani. Venne liberato solo grazie all'intervento di Roberto Pannunzi che si fece garante di Miceli e del suo debito.

È vero che in Colombia le 'ndrine già negli anni Novanta investivano nella coltivazione e nella raffinazione della pasta da coca?

Non solo, ma avevano rapporti con narco-paramilitari importanti, come Gerson Álvarez, detto «Kiko», uno dei fondatori del gruppo paramilitare Águilas Negras, i gemelli Victor Manuel e Miguel Ángel Mejía Múnera, Raul Agudelo, Francisco Javier Zuluaga, detto «Gordo Lindo», Fred Rendón Herrera, detto «El Alemán» o «Alemancito», Juan Carlos Sierra, detto «El Tuso», Hernán Giraldo, Jorge Cuarenta, Guillermo Pérez Alzate, detto «Pablo Sevillano», Carlos Mario Jiménez Naranjo, detto «Macaco», Rodrigo Pérez Alzate, detto «Julián Bolívar», Fabio Chubasco, Jairo Andrés Angarita e Diego Fernando Murillo, detto «Don Berna», tutti legati a Salvatore Mancuso, figlio di un emigrato italiano, originario di Pontecagnano, in provincia di Salerno, il capo del più forte gruppo paramilitare di estrema destra, una ciurma di narcos in tuta mimetica.

In Colombia, dove il 62% dei terreni coltivati appartiene a una élite che rappresenta lo 0,4% della popolazione, le organizzazioni di guerriglieri e paramilitari hanno gradualmente abbandonato le tradizionali ideologie politiche, di cui sembravano essere impregnate, per convertirsi in movimenti affaristico-criminali con profonde radici nel narcotraffico, nei sequestri di persona e nelle estorsioni. Un tempo si limitavano alla cosiddetta *vacuna*, ossia l'estorsione di una tassa versata dai cartelli per la protezione e, talvolta, per la scorta di carichi di droga trasferiti da una regione all'altra del paese. I numerosi sequestri di ingenti quantitativi di cocaina rinvenuti a bordo di aerei atterrati su piste clandestine gestite e protette dalle Farc, le Fuerzas Armadas Revolucionarias de Colombia, dalle Auc, le Autodefensas Unidas de Colombia, e dall'Eln, l'Ejército de Liberación Nacional de Colombia, hanno confermato l'autonomia imprenditoriale di queste organizzazioni che sempre di più si contendono il primato della ferocia.

Torniamo a Mancuso. Chi era e dove viveva?

È cresciuto a Montería, nel dipartimento di Córdoba, ha studiato agraria all'università Javeriana di Bogotá e ha imparato l'inglese frequentando corsi di lingua all'università di Pittsburgh. Sul finire degli anni Ottanta, si è unito alle Auc ed è andato a vivere nella selva colombiana. È finito in una nostra inchiesta nel 2003. Stavamo indagando su un certo Giorgio Sale, un imprenditore italiano che in Colombia importava vino ed era proprietario di alcuni ristoranti. Con Mancuso cominciò a parlare di Brunello di Montalcino e poi di investimenti in Italia. Il figlio di Sale invece era interessato alla droga.

Che tipo di investimenti?

In una telefonata intercettata, Giorgio Sale racconta al figlio che Mancuso era andato a ritirare «1800 milioni ... la prima tranche del 50%», soldi destinati a diventare villaggi turistici, soprattutto in Toscana, attività imprenditoriali pulite. In un'altra telefonata Sale propone a Mancuso l'acquisto di un palazzo che si affaccia sui giardini del Papa, palazzo Albani Del Drago, un edificio del Settecento. Sale prima di conoscere Mancuso pare che abbia riciclato soldi anche per Roberto Pannunzi.

Com'è finita quella indagine?

Giorgio Sale venne arrestato. Nella sua caduta si è trascinato anche il presidente del Consiglio superiore della magistratura colombiana, José Alfredo Escobar.

Che cosa successe?

È una storia che sono riuscito a ricostruire solo dopo aver interrogato Mancuso in un carcere di Washington. Per tutta la durata dell'interrogatorio, una giornata intera, è rimasto legato mani e piedi, cosa impensabile nelle nostre carceri. Avevo chiesto il suo arresto, inoltrando una rogatoria al governo colombiano. Mi raccontò che venne subito contattato da un dirigente del Dijin, la polizia giudiziaria, tramite Jairo Andrés Angarita, uno dei suoi uomini che allora comandava il Bloque paramilitare di Sinú y San Jorge, nella regione di Córdoba. Angarita gli consegnò la copia della rogatoria tradotta in spagnolo. Mancuso chiamò Sale per avvisarlo della nostra inchiesta. Un collaboratore di Sale, qualche giorno dopo, contattò il giudice Escobar. «Ti chiamo per un problema che riguarda una persona molto legata a Giorgio. Il giudice Martha Marin Mora ha la pratica. Basta dirle di guardarla con attenzione. Niente più.» Escobar, senza scomporsi, rispose: «La mia segretaria farà da tramite con i giudici in questione». Quando la trascrizione della telefonata, intercettata dalla polizia colombiana, finì su «Semana», uno dei settimanali più importanti della Colombia, il giudice Escobar fu costretto a dimettersi. Mancuso mi disse anche che della mia rogatoria parlò con il ministro della Giustizia del tempo e che mentre mi trovavo in Colombia per indagare su di lui venne ad alloggiare nel mio stesso albergo, vicino all'ambasciata italiana. Effettivamente, un giorno nel tardo pomeriggio, nei pressi dell'albergo vidi arrivare un corteo di fuoristrada pieno di uomini in assetto di guerra. L'arma più piccola che ho visto era un kalashnikov. Mancuso voleva farsi un'idea di come fosse il giudice che voleva arrestarlo. O almeno così mi disse. Col senno di poi mi sento un miracolato.

Mancuso le ha raccontato altre cose in quell'incontro?

Mi ha confermato i rapporti con la 'ndrangheta di molti narcotrafficanti legati alla sua organizzazione, ma soprattutto il sistema di corruzione che ruota attorno alla cocaina. Alla commissione d'inchiesta colombiana ha dichiarato che ogni anno con il traffico di droga entrano nell'economia colombiana più di sette miliardi di dollari, una cifra che supera il bilancio di molti Stati africani.

Cifre da capogiro. Com'è la situazione oggi in Colombia?

La Colombia è un paese di grandi contraddizioni, con la maggiore biodiversità del continente americano, bagnato da due oceani e con una ricchezza di risorse naturali unica al mondo. Purtroppo, è sempre più terra di nessuno. La droga aumenta le ingiustizie, ma non è né l'unica, né la principale causa dei mali di questo paese. La violenza ha radici antiche. Gabriel García Márquez nel suo *Cent'anni di solitudine* ci parla dei massacri avvenuti negli anni Venti, quando i contadini cercavano di ribellarsi allo strapotere del partito a due facce, quello che ancora governa in Colombia. Dal 1948 al 1963 ci sono stati trecentomila morti. La droga è arrivata poi, negli anni Sessanta, quando sulla costa atlantica sbarcarono centinaia di giovani americani dei corpi di pace. Anziché divulgare i valori della società statunitense, insegnarono i principi chimici della droga agli aborigeni, per i quali marijuana e coca erano sempre state piante sacre e curative. Quando, dalla metà degli anni Settanta, le piantagioni di marijuana vennero spostate negli Usa e in Giamaica, in Colombia rimasero i campi e i fiumi avvelenati. Fu allora che alcuni abitanti di Medellín cominciarono a raffinare le foglie di coca, intuendo le potenzialità di quel business.

Por la plata lo que sea.

Appunto, qualunque cosa per i soldi. E così fu. In poco tempo, la Colombia si è trasformata in una sorta di risiko, un territorio conteso, con l'ostinazione delle faide, dall'esercito regolare, dai guerriglieri di sinistra, dai paramilitari di destra e dai coltivatori di coca.

Che cos'è cambiato in Colombia con la scomparsa dei grandi cartelli?

I grandi cartelli sono stati rimpiazzati da tanti piccoli clan che sul modello della 'ndrangheta gestiscono affari miliardari. Spesso utilizzano il sistema dell'*apuntada* per corrompere politici e funzionari pubblici.

*Che cos'è l'*apuntada*?*

Un modo per ripagare il silenzio della classe dirigente colombiana. Quello di fare entrare politici, burocrati e funzionari dello Stato nel giro del traffico di droga con quote gratuite di partecipazione, appunto l'*apuntada*. Un tempo, questo sistema serviva per finanziare una parte del carico di droga. Grazie a questo metodo collaudato, rappresentanti dei più svariati settori del mondo economico e sociale colombiano partecipano al lucroso business del traffico di droga. Oggi i clan subappaltano molti segmenti della filiera produttiva. Sono aumentate le importazioni di pasta basica, soprattutto da Perù e Bolivia, e sono cresciuti a macchia d'olio i laboratori in parte mobili, in prossimità della frontiera, gestiti da persone estranee ai tanti minicartelli che tengono i contatti con i broker nordamericani ed europei.

Un affare miliardario sospeso tra le fincas colombiane e le coste calabresi. Montagne di dollari che reinvestite diventano armi con cui controllare il territorio, potenza di ricatto ed economia pulita.

Secondo il rapporto del 2008 della Direzione centrale dei servizi antidroga, la produzione di cocaina ha registrato un aumento del 16% nelle aree sottoposte a colture tra Colombia, Perù e Bolivia, per un totale di 181.600 ettari, il dato più alto registrato dal 2001. Attualmente la produzione mondiale viene quantificata in 944 tonnellate. L'ultima volta che sono stato in Colombia ho sorvolato a bordo di un elicottero dell'esercito colombiano alcune zone della foresta amazzonica, dove non c'è più spazio per gli indios costretti a fuggire dalle proprie abitazioni. Nella zona di Bogotá ci sono almeno sette milioni di rifugiati. Dopo il Sudan, la Colombia è il paese dove ci sono più *desplazados*, più sfollati.

Anche la produzione di eroina è in aumento?

Sì, anche l'eroina ha registrato un incremento della produzione mondiale, pari al 17%, determinato dall'ampliamento delle coltivazioni in Afghanistan e Myanmar, che insieme rappresentano il 94% delle colture di papavero da oppio. L'incremento delle coltivazioni ha comportato una crescita della produzione di oppio, stimata in 8870 tonnellate, la più alta negli ultimi vent'anni. L'aumento dell'offerta ha determinato un sensibile calo dei prezzi nei paesi centroasiatici, scesi da 140 a 111 dollari.

Quanto costa alla 'ndrangheta un chilo di cocaina?

Oggi, in Colombia, i broker della 'ndrangheta acquistano la cocaina per millecinquecento euro al chilo, un milione e mezzo a tonnellata. Ai grossisti in Europa la rivendono a trentamila euro al chilo con un ricavo netto di almeno venti milioni, se si considerano le spese per il trasporto e la sicurezza. Il grossista ha due possibilità: quella di rivenderla a prezzo maggiorato o di tagliarla e farla vendere dai propri spacciatori. Da un chilo puro al 98% si possono ricavare 4,5 chili, tenendo conto che fino al 23-24% di purezza la cocaina continua ad avere effetto stupefacente. Se si considera che il costo medio di un grammo oggi si aggira sui cinquanta euro, le 4500 bustine ricavate da un chilo possono fruttare 225 mila euro. Non esiste nulla al mondo che possa garantire gli stessi margini di profitto.

Lo scrittore Roberto Saviano in un articolo pubblicato sull'«Espresso» ha definito la cocaina «il vero miracolo del capitalismo contemporaneo». Per i paesi andini è il cemento di ogni costruzione, per la 'ndrangheta la principale fonte di reddito, pari a 27,2 miliardi di euro. È una lotta impari?

La cocaina tiene ormai in piedi l'economia di molti paesi e non certo quelli in ritardo di sviluppo. Se il narcotraffico venisse debellato, l'economia degli Stati Uniti subirebbe perdite comprese tra il 19 e il 22%, mentre quella messicana subirebbe un crollo del 63%. Stessa cosa potrebbe dirsi per molti paesi europei, a partire dal nostro.

A fronte di oltre cento miliardi di dollari spesi per la repressione della coltivazione, si investono solo dieci milioni per abbattere la domanda e quattro e mezzo per creare colture alternative. Forse sarebbe il caso di cambiare rotta, rimuovendo le cause che, in molti paesi, spingono i *campesinos* a coltivare foglie di coca o papaveri da oppio.

Esiste una Borsa della cocaina?

I broker importanti, quelli che trattano per conto di decine di famiglie di 'ndrangheta, i prezzi li discutono a Bogotá, in Colombia. Quelli che trattano in Spagna, in Olanda o in Italia pagano sempre di più. Molti 'ndranghetisti trattano nella zona Rosa della capitale colombiana, a pochi passi da palazzo Nariño, la residenza ufficiale del presidente della Repubblica. Ma anche a Cali, a Medellín e a Montería, la città natale di Salvatore Mancuso, dove viveva Santo Scipione, un trafficante di droga originario di San Luca.

Come viene gestito il traffico di droga?

Tutti i clan investono nell'acquisto di droga. Affidano i loro capitali a broker che riescono a ridurre i rischi, tenendo le forze dell'ordine due lunghezze indietro. Per facilitare i trasporti, per superare le dogane bisogna avere molti contatti sul libro paga. Per i broker la credibilità è l'anticamera degli affari. E nel giro ormai ci sono uomini e donne che si muovono con la stessa facilità con cui io mi muovo a Reggio Calabria. Purtroppo, per un carico che viene sequestrato ci sono altri nove che arrivano a destinazione.

Cocaina significa denaro e denaro significa potere.

La 'ndrangheta ha sempre avuto un ruolo istituzionale, assegnarle solo il ruolo prevalente nel traffico di droga vuol dire non comprenderne la portata, significa confinarla a una dimensione extraterritoriale, impalpabile. La 'ndrangheta oggi è un fenomeno eversivo dell'ordinamento democratico, come ha giustamente sottolineato nell'ottobre 2005 l'allora ministro dell'Interno Giuseppe Pisanu. In Calabria, ma anche in tante altre regioni, quotidianamente vengono messi in discussione i principi della democrazia e della convivenza civile: il diritto di scegliere i propri rappresentanti politici, il dovere di amministrare nell'interesse comune e nel rispetto delle leggi e il diritto di fare libera impresa.

Torniamo ai clan colombiani. Una ne fanno e cento ne pensano. Recentemente come ha riferito Guido Olimpio sul «Corriere della Sera», un minisub con a bordo sei tonnellate di cocaina è stato intercettato a 320 chilometri dalle coste messicane, al largo dello Stato di Oaxaca.

Li chiamano «porcellini», vengono costruiti nella Valle del Cauca, in Colombia, nella giungla protetta dai guerriglieri delle Farc. Non immergendosi completamente possono sfuggire alla caccia del sonar. I marinai, poi, li dipingono di blu, verde scuro o grigio per mimetizzarli. Nel 2006 uno di questi minisub è stato trovato sulle coste spagnole della Galizia. L'idea dei sommergibili era venuta ai cartelli colombiani che nel 1995 avevano cominciato ad acquistare dai russi pezzi di un sottomarino in cambio di cocaina. L'operazione venne sventata dalla polizia colombiana. I mezzi più sicuri restano gli aerei di piccola e media taglia che volano a bassa quota per ingannare i radar, ma soprattutto i container, quelle scatole magiche grazie alle quali, come sostiene Marc Levinson, il mondo è diventato più piccolo e l'economia più grande.

Esiste un linguaggio a prova di intercettazione?

Più che un linguaggio esistono codici cifrati, veri e propri rompicapi. Lettere abbinate a numeri. Addizioni e sottrazioni per scambiarsi un numero di telefono, comunicazioni di pochi secondi, talvolta anche un fischio modulato in un certo modo. Quelli che invece fanno ricorso ai cavalli (bianchi e neri) o alle arance (mature e acerbe) sono piccoli trafficanti.

Anche la 'ndrangheta usa i pizzini?

Li usa da sempre, anche se hanno fatto meno notizia rispetto a quelli di Cosa Nostra. Pasquale Condello, detto «il Supremo», era considerato alla stregua di Bernardo Provenzano, uno spietato assassino durante la seconda guerra di mafia degli anni Ottanta e un uomo di pace e di affari subito dopo. Venne arrestato nel febbraio 2008. Condello per comunicare con i familiari annotava due numeri su un pizzino. Poi si è scoperto che quei numeri indicavano una pagina e un capoverso di un libro di Paulo Coelho, attraverso il quale bisognava decodificare il messaggio del boss, leggendo tra le righe di analogie e similitudini contenute nel testo dello scrittore brasiliano.

Condello era un tipo particolare, tutto diverso da Provenzano. Quando è stato arrestato cenava con ostriche e champagne e nell'appartamento, oltre a libri di Coelho e Gabriel García Márquez, è stato trovato un manuale del «Sole 24 Ore», una sorta di vademecum su come e dove investire senza rischi.

Torniamo alla droga. Secondo le analisi della Direzione centrale dei servizi antidroga, la via marittima resta la rotta privilegiata dei narcos. Come arriva la cocaina in Italia?

Negli ultimi dieci anni la cocaina non viene più spedita solo dai porti colombiani, ma anche dall'Argentina, dal Brasile, dal Cile, dall'Uruguay. La Spagna, dove vivono molti colombiani, è una delle destinazioni privilegiate, ma la cocaina arriva anche in Olanda, in Belgio, in Romania. E spesso proviene, oltre che dal Sudamerica, anche dal Kosovo, diventato una sorta di narco-Stato nel cuore dell'Europa. Negli ultimi tempi, molti Stati dell'Africa centrale sono diventati sedi di stoccaggio, grazie anche alla contiguità dei regimi corrotti che governano paesi come la Guinea Bissau, Guinea Conakry, Senegal, Mauritania, Capo Verde e Ghana. La cocaina arriva con navigli che trovano facile approdo lungo le coste prive di controllo, o a bordo di aerei provenienti dal Brasile e dal Venezuela che atterrano su piste clandestine che improvvisamente si aprono nel deserto. Questo è il primo tratto della rotta gestito generalmente dai sudamericani (colombiani insediati in Guinea Bissau, Guinea Conakry e Senegal) che pagano in cocaina l'assistenza logistica ricevuta dalle organizzazioni locali. Da qui la droga viene presa in gestione dagli africani e, via Portogallo e Francia, raggiunge l'Europa, e quindi anche l'Italia, utilizzando voli commerciali.

Droga on demand, su richiesta. È questo il concetto?

I centri di stoccaggio sono una sorta di supermercato. La droga viene smistata su richiesta, dieci-venti chili alla volta. È meno ingombrante. Il boom africano è coinciso con il giro di vite imposto attorno al 2003 in Europa sulle rotte aeree e marittime provenienti dal Sudamerica. I dati diffusi dall'ufficio delle Nazioni Unite che si occupa di droga e di criminalità organizzata documentano l'incremento dei sequestri di coca «africana» nei principali aeroporti italiani.

Con una drastica svolta rispetto alla sua politica precedente, il Messico ha varato un'estesa depenalizzazione del consumo di droghe, e non solo leggere. Nessuno potrà più essere perseguito per il possesso di marijuana, eroina e cocaina, purché in modica quantità e per uso personale. La mossa segue il fallimento di anni di battaglia al narcotraffico basata sul pugno duro e affidata a una polizia corrotta.

Il Messico non ha mai combattuto seriamente il narcotraffico. L'obiettivo è sempre stato quello del sequestro di cocaina, non la disarticolazione dei cartelli attraverso la confisca dei beni illegalmente conseguiti. Bisognerebbe riformare il sistema processuale, i codici, gli ordinamenti, garantendo l'indipendenza della magistratura inquirente dall'esecutivo. Oggi i pubblici ministeri vengono nominati dal governo, è una continua lotta tra centri di potere. La depenalizzazione del consumo di droga non servirà a nulla. La lotta ai narcotrafficanti non passa attraverso lo spaccio, ma dalla disarticolazione delle narcoimprese. E poi uno Stato dovrebbe occuparsi anche della salute pubblica.

Quali sono oggi i rapporti della 'ndrangheta con il Messico?

L'operazione «Solare» ha evidenziato il ruolo della 'ndrangheta negli Stati Uniti, un paese dove sembrava esistesse solo Cosa Nostra. A Brooklyn le 'ndrine sono riuscite a entrare in contatto anche con gli emissari dei cartelli messicani. I messicani, che per decenni hanno lavorato come corrieri per conto dei cartelli colombiani, oggi hanno in mano quasi tutta la distribuzione di cocaina negli Stati Uniti. Hanno individuato nella 'ndrangheta il partner ideale per sbarcare anche in Europa, dove, contrariamente a quello che succede in Nordamerica, il consumo di cocaina è in aumento. Una famiglia di 'ndrangheta era entrata in contatto con i Los Zetas, il braccio armato del cartello del Golfo.

Lei è stato anche in Messico. Che situazione ha trovato?

Tra gennaio 2007 e agosto 2009, in Messico gli omicidi legati al narcotraffico sono stati circa undicimila, più del doppio rispetto al numero dei soldati americani uccisi in Afghanistan e Iraq dal 2001. Secondo il ministero della Giustizia americano, il narcotraffico messicano si è infiltrato in almeno duecentotrenta città degli Stati Uniti. E la situazione rischia di peggiorare. I messicani stanno facendo lo stesso errore dei colombiani con la creazione di pochi cartelli che monopolizzano il mercato. Ho visto foto che sembravano tratte da film dell'orrore. Uomini decapitati e gettati ai bordi della strada. Teste impalate come feticci. E scritte lungo le strade di Nuevo Laredo e Reynosa che invitavano i poliziotti a disertare e a unirsi ai cartelli del narcotraffico. Recentemente, invece, un altro cartello messicano ha utilizzato YouTube per convincere i commercianti a pagare il pizzo ed evitare situazioni spiacevoli.

Durante l'operazione «Solare», duecento persone sono finite in carcere, sono state sequestrate sedici tonnellate di cocaina e sono stati recuperati cinquantasette milioni di dollari, frutto dei proventi del riciclaggio. È stato un grosso colpo.

Ma non siamo riusciti a disarticolarli. Mi viene in mente una conversazione tra due trafficanti di droga. «Avevamo sotterrato duecentocinquanta miliardi. Ne abbiamo dovuti buttare sette-otto perché hanno preso umidità e si sono ammuffiti» raccontava uno dei due, senza tradire il minimo disappunto. In un'altra intercettazione successiva al sequestro di circa mille chili di cocaina, un trafficante tranquillizzava la controparte colombiana: «I soldi vanno e vengono, la prossima volta raddoppieremo il carico». Due esempi che la dicono lunga sulla disponibilità finanziaria delle 'ndrine. Per loro, il problema non è più quello di fare soldi, ma di giustificare la ricchezza ed evitare che marciscano.

Quanti cartelli ci sono oggi in Messico?

Secondo i rapporti del governo messicano sarebbero otto. Il cartello di Juárez dei fratelli Carillo, quello di Tijuana dei fratelli Arellano Félix, quello del Golfo, quello di Jalisco del colombiano Juan Diego Espinosa Ramírez, detto «El Tigre» e della sua compagna, la messicana Sandra Ávila Beltrán, quello di Oaxaca di Pedro Díaz Parada, quello di Michoacán dei fratelli Valencia, quello dei fratelli Amezcua e quello di Sinaloa di Joaquín El Chapo Guzmán Loera.

Tanti fratelli, ma anche donne?

Sandra Ávila Beltrán, prima di finire in carcere nel 2007, era nota come la regina del Pacifico. Dopo l'arresto del compagno, guidava una federazione che riuniva il cartello colombiano del Norte del Valle con quelli messicani di Juárez e Sinaloa. Nell'elenco dei narcotrafficanti messicani c'è anche Enedina Arellano Félix, sorella dei capi storici del cartello di Tijuana. Il numero delle donne è in continuo aumento. Mostrano ottime qualità manageriali e criminali.

V
Veleni e rifiuti

Una montagna di scorie industriali alta quasi quanto l'Etna, navi inghiottite dai nostri mari o arenate sulle nostre coste. È un giro enorme quello dei veleni e dei rifiuti che coinvolge anche la 'ndrangheta. Francesco Fonti, un ex trafficante di droga condannato a cinquant'anni di reclusione, in un memoriale consegnato alla Direzione nazionale antimafia e pubblicato dall'«Espresso» nel 2005, ha ammesso di essersi occupato dell'affondamento di navi cariche di rifiuti tossici e radioattivi: «Era una procedura facile e abituale ... Io ne ho affondate tre, ma ogni anno al santuario di Polsi (provincia di Reggio Calabria) si svolgeva la riunione plenaria della 'ndrangheta, dove i capibastone riassumevano le attività svolte nei territori di loro competenza. Proprio in queste occasioni, ho sentito descrivere l'affondamento di almeno tre navi nell'area tra Scilla e Cariddi, di altre presso Tropea, di altre ancora vicino a Crotone. E non mi spingo oltre per non essere impreciso».[1] Fonti, nel suo memoriale, ha squadernato storie di gravità eccezionale, intrecci tra politica, servizi segreti e malavita organizzata, con particolari che dovranno essere vagliati dagli investigatori. Se fosse vero il racconto di Fonti, verrebbe da chiedersi chi ha coperto per anni il traffico di rifiuti e l'affondamento delle navi dei veleni, sacrificando la salute dei mari e delle popolazioni? Un altro dei tanti misteri italiani.

Antonio Nicaso

Il relitto scoperto il 12 settembre del 2009 nelle acque al largo di Cetraro non apparteneva alla nave dei veleni, di cui ha parlato Francesco Fonti. Secondo lei è plausibile il coinvolgimento delle 'ndrine nel giro delle navi a perdere?

Di carrette del mare affondate nelle nostre acque si è sempre parlato. In Calabria le prime indagini presero l'avvio da un dossier preparato da Legambiente sull'affondamento sospetto della nave *Rigel* al largo di Capo Spartivento. In quegli anni, si parlava anche di grotte e anfratti dell'Aspromonte usate come discariche abusive. La conferma che la 'ndrangheta fosse coinvolta in questo lucroso e odioso traffico l'abbiamo avuta in seguito a una conversazione telefonica tra due 'ndranghetisti, intercettata in Calabria. «Basta essere furbi, aspettare delle giornate di mare giusto, e chi vuoi che se ne accorga?» spiegava uno. «E il mare? Che ne sarà del mare ... se lo ammorbiamo?» diceva l'altro, per poi sentirsi dire: «Ma sai quanto ce ne fottiamo del mare: pensa ai soldi, che con quelli il mare andiamo a trovarcelo da un'altra parte». Inoltre, c'è una sentenza di primo grado che condanna esponenti di due clan reggini per smaltimento illecito di rifiuti tossici e nocivi. E nel maggio del 2009, in una cava di Motta San Giovanni, una zona della provincia di Reggio Calabria avviata alla bonifica, sono stati trovati fanghi tossici. Materiali altamente nocivi da far sparire tra le argille calabresi invece che in costose discariche autorizzate. Insomma, anche se le dichiarazioni di Fonti sono inattendibili, il problema delle ecomafie resta e va affrontato seriamente.

La zona di Cetraro, dove è stato individuato il mercantile sospetto, non è lontana dalla costa dove il 14 dicembre 1990 si era arenata la motonave Rosso, *l'ex* Jolly Rosso. *È una coincidenza?*

Non saprei. Quello dell'ecomafia è un business enorme e non riguarda solo il Sud. Secondo un rapporto di Legambiente, dalla fine degli anni Settanta oltre trenta navi sarebbero state affondate al largo delle coste italiane in circostanze tutte da chiarire. Al Sud sono finiti i rifiuti delle aziende del Nord, ma anche di altri paesi. È ormai un sistema che non coinvolge soltanto le organizzazioni criminali, ma anche tecnici di laboratorio che falsificano le analisi e trasportatori che per soldi sono disposti a tutto. Ma anche dirigenti d'azienda, faccendieri e quant'altro; tutta gente che, non sapendo risolvere il problema dello scarico e dello smaltimento dei rifiuti radioattivi, si serve della criminalità organizzata non preoccupandosi di mettere a repentaglio la vita o comunque di attentare alla salute dei cittadini.

La gente è preoccupata.

Un consulente della procura di Paola ha evidenziato nella zona compresa tra i comuni di Aiello Calabro e Serra d'Aiello un incremento di patologie tumorali. Qui le analisi hanno rilevato due sostanze radioattive artificiali e il Cesio 137, che è la stessa sostanza fuoriuscita dopo l'esplosione della centrale di Chernobyl.

Che cosa si può fare?

Sarebbe opportuno scandagliare i fondali, utilizzando le informazioni disponibili. Oggi c'è la possibilità di utilizzare robot sottomarini, ma anche apparecchiature che consentono di individuare masse ferrose con rilievi magnetici in alta risoluzione. Ci vuole una precisa volontà politica, ma soprattutto maggiori controlli nella gestione e nello smaltimento dei rifiuti tossici e nocivi. I rifiuti speciali prodotti nel 2006, anno dell'ultimo rilevamento, sono stati 134,7 milioni di tonnellate, di cui 9,2 pericolosi. Nelle operazioni di recupero e smaltimento previste dalla legge sono stati trattati 103,7 milioni di tonnellate. Facendo la differenza, mancano all'appello ben 31 milioni di tonnellate, un quantitativo che nessuno sa dove sia andato a finire.

Un'altra economia che non ha subito i contraccolpi della crisi...

Secondo l'ultimo rapporto di Legambiente, nel 2008 il fatturato dell'ecomafia ha superato i venti miliardi di euro, con un incremento del 7,3% rispetto all'anno precedente. Tutti soldi sporchi che sono stati accumulati avvelenando l'ambiente e i cittadini. Dal 2002, l'anno in cui è entrata in vigore la nuova normativa sul traffico illecito di rifiuti, sono state emesse 798 ordinanze di custodia cautelare. Le aziende coinvolte sono state 564 e le persone denunciate 2328. La regione con più infrazioni accertate è la Campania, seguita da Puglia, Calabria e Lazio. Al Nord, in vetta alla classifica dell'illegalità ambientale c'è il Piemonte. I clan coinvolti finora in questo giro vergognoso sono stati 258. Da un'indagine condotta in Calabria, si è scoperto che almeno 350 mila tonnellate di arsenico, zinco, piombo, indio, germanio e mercurio, provenienti dagli scarti di una ex area industriale, sono state utilizzate per costruire parcheggi, strade e persino una scuola a Crotone. Un'altra scuola è stata invece costruita nella vicina Cutro.

In Basilicata si è indagato anche su un quantitativo di materiale radioattivo (plutonio e uranio) che sarebbe stato ceduto con la complicità della 'ndrangheta all'Iraq di Saddam Hussein.

Si è detto anche questo. Da un documento della Cia, si è saputo che, durante gli anni Settanta e i primi anni Ottanta, l'Iraq avrebbe acquistato uranio in varie forme dal mercato internazionale e in particolare da Portogallo, Italia, Nigeria e Brasile. In un altro caso, nella primavera del 1998 undici uomini – mafiosi, 'ndranghetisti ed ex esponenti della Banda della Magliana – tentarono di vendere otto barre di uranio arricchito 235 e 238 di fabbricazione americana a un ufficiale della guardia di finanza sotto copertura che si era spacciato per un emissario di un paese arabo. Al termine della trattativa venne consegnata solo una barra, le altre scomparvero nel nulla. Bastava inserire quelle barre in un ordigno esplosivo per trasformare il centro storico di Roma o di Milano in un buco radioattivo.

VI

Il delitto Fortugno

Se le mafie fossero state solo organizzazioni criminali, le avremmo sconfitte, come abbiamo fatto con il brigantaggio e con il terrorismo. Quante volte lo abbiamo sentito dire. Il libro che Gian Carlo Caselli ha scritto con il figlio Stefano racconta l'esperienza di un magistrato che ha combattuto due guerre. Quella che lo Stato (o più esattamente alcuni suoi consistenti settori) ha saputo vincere contro le Brigate Rosse e gli altri gruppi eversivi, e quella che contro la mafia ha accettato di perdere, pur essendo nella condizione di vincerla.[1]

Il segreto del successo nella guerra contro il terrorismo è legato alla specializzazione e alla centralizzazione delle tecniche investigative, ma soprattutto alla volontà politica di reagire a un fenomeno che veniva considerato «altro» rispetto alla società.

Nella lotta alle mafie, invece, non c'è mai stata volontà politica. Anzi, quando i magistrati hanno cominciato ad alzare il tiro colpendo gli intrecci criminosi tra mafia, pezzi della politica, dell'economia e delle istituzioni, a farne le spese sono stati i pool antimafia che avevano mutuato le tecniche investigative dell'antiterrorismo contrapponendo organizzazione a organizzazione. Le mafie in Italia esistono da almeno due secoli, ma per vederle vietate e punite nel codice penale ci sono voluti gli omicidi del deputato Pio La Torre e del generale dei carabinieri Carlo Alberto dalla Chiesa. Al 416 bis sono seguiti altri comma, tutti frutto dell'emergenza, dell'emotività con cui si è sempre combattuta la guerra che lo Stato non ha mai voluto vincere. I nodi vengono sempre al pettine, si dice. Ma in Italia, da tempo, non c'è più neanche il pettine.

Antonio Nicaso

Il 16 ottobre 2005, nell'androne di palazzo Nieddu del Rio a Locri, durante lo svolgimento delle consultazioni elettorali per le primarie dell'Ulivo, veniva ucciso il vicepresidente del Consiglio regionale della Calabria, Francesco Fortugno. Di questo omicidio, maturato in un contesto politico-mafioso, sono stati individuati e condannati in primo grado i presunti colpevoli, esecutori e organizzatori. Al di là di una prima verità processuale, molti si chiedono perché la 'ndrangheta, tradizionalmente schiva, abbia deciso di uccidere un politico che in quel momento ricopriva un importante incarico istituzionale.

Quello di Fortugno è un delitto che va oltre la 'ndrangheta e sconfina in quella zona grigia dove si saldano gli interessi più inconfessabili. In Calabria c'è un problema di sovranità. La sensazione che si avverte è che a comandare nei consessi elettivi non siano gli amministratori onesti. Ci sono troppi interessi che spaziano dalla gestione di un settore, come quello della sanità, che assorbe il 73% del bilancio regionale, alle risorse statali e comunitarie destinate alla riqualificazione del territorio. In Calabria, la 'ndrangheta ormai è un potere militare, economico e politico che non accetta di essere messo in discussione nemmeno negli aspetti più marginali.

Ma era proprio necessario uccidere Francesco Fortugno?

La 'ndrangheta non paga i sicari per uccidere. Ogni locale di 'ndrangheta ha un gruppo di fuoco. E i killer delle varie 'ndrine non vengono pagati a cottimo.

E quindi?

Ripeto, quello di Fortugno è un omicidio che è stato opportunamente inquadrato in un contesto politico-mafioso, nel quale gli interessi della 'ndrangheta si sono saldati con quelli della politica o meglio di una certa politica, quella degli affari. Francesco Fortugno era un medico prestato alla politica. Dopo la vittoria alle elezioni amministrative del 2005 venne nominato vicepresidente del Consiglio regionale. Secondo quanto scrivono i giudici nella sentenza di primo grado, era un uomo tranquillo che aveva gestito il suo pacchetto di voti come si fa ancora oggi in tanta parte del Sud, ma sempre tenendosi lontano da quello che considerava il cancro della sua regione, la 'ndrangheta.

Enrico Fierro nel suo libro Ammazzàti l'onorevole, *sostiene che l'omicidio Fortugno abbia segnato «la soglia di un abisso, al cui fondo si radicano le miserie della politica calabrese e i suoi intrecci perversi con mafia e massoneria, il trasformismo dei suoi uomini, il passaggio da uno schieramento all'altro in uno scenario dove il confine tra clientelismo e malaffare non è più distinguibile».*[2] *È d'accordo?*

L'omicidio di Francesco Fortugno ha rappresentato un «salto di qualità» nella strategia della 'ndrangheta. Per la prima volta in Calabria si è colpito un politico di vertice, il vicepresidente del Consiglio regionale, una strategia simile a quella utilizzata da Cosa Nostra negli anni Novanta. Non è stato un caso. L'incontro e la commistione di interessi tra figli di 'ndranghetisti che hanno avuto accesso alle professioni liberali e pezzi della borghesia che hanno trovato vantaggioso utilizzare i capitali e la forza di intimidazione della 'ndrangheta per assumere il controllo di rilevanti settori del pubblico e del privato, come la sanità e i lavori pubblici, sono da considerare tra le maggiori cause di sviluppo di una più violenta signoria territoriale. L'omicidio Fortugno matura in un contesto nel quale gli interessi della 'ndrangheta si sono sovrapposti a quelli di una borghesia mafiosa, sempre più aggressiva. E il politico non colluso e non funzionale alla realizzazione di questi interessi diventa inesorabilmente un ostacolo da abbattere.

Per la politica, insomma, si spara e si muore?

In passato sono stati uccisi politici che si erano schierati contro la 'ndrangheta, come Giuseppe Valeriati a Rosarno e Giannino Losardo a Cetraro. L'omicidio di un politico ha sempre prodotto un duplice effetto; da una parte elimina un soggetto scomodo che ostacola la realizzazione di interessi illeciti e dall'altra manda un messaggio di intimidazione a tutto il quadro politico-istituzionale.

Anche la 'ndrangheta ora sembra essere più spregiudicata.

Le elezioni del 2005 hanno rappresentato uno spartiacque nelle strategie politico-mafiose del Reggino. La 'ndrangheta, negli ultimi tempi, è diventata più aggressiva. Vuole tutto e subito, come testimoniano gli oltre trecento avvertimenti nei confronti di sindaci, assessori e del governatore. Le 'ndrine hanno acquisito sempre più potere e sono pronte a difenderlo. Ma la cosa più grave è che in Calabria ci sono zone dove la presenza dello Stato non si avverte.

In che senso?

Mi viene in mente Platì, dove il 98% delle costruzioni è abusivo e quasi nessuno ha mai pagato l'Ici. In quella cittadina c'erano chilometri di gallerie costruite a cielo aperto, in pieno giorno. Servivano ai latitanti in caso di fuga, ma anche per custodire gli ostaggi dei sequestri. In zone come quelle è lo Stato che deve infiltrarsi, come ha detto il procuratore nazionale antimafia Piero Grasso.

Lei nel 1992, in occasione delle elezioni politiche, ordinò una perquisizione nelle case dei mafiosi per verificare quale fosse l'interesse delle cosche. Il fatto suscitò molte polemiche.

Fu una indagine coordinata assieme all'allora procuratore di Palmi, Agostino Cordova. Trovammo volantini di partiti diversi, negli stessi cassetti, negli stessi armadi. Non fu un'indagine facile. Affrontare di petto il reato di voto di scambio qui significa sfidare larga parte della società. Equivale a discutere un diritto, quello di barattare il voto come un bene, una proprietà riconosciuta: è come impedire un commercio che aiuta a campare, a ottenere un lavoro, una licenza, un certificato in municipio e il saluto rassicurante, protettivo di un notabile. Il voto ha spesso un valore singolare: è un legame tra mafia e democrazia. Inserita nella grandiosità della natura e nella precarietà dei luoghi abitati, la cronaca calabrese disegna il ritratto di una terra di conquista, in cui le miniere d'oro sono gli appalti di lavori pubblici, le estorsioni, l'usura e soprattutto il traffico di droga, in particolare cocaina. Intralciando queste attività si frena un disperato e talvolta feroce processo di accumulazione, cominciato non tanto tempo fa, dopo una lunga povertà rurale: significa contrastare una dinamica economia illegale grazie alla quale si sostengono in egual misura il livello di inquinamento sociale e il livello dei redditi reali. Questi ultimi non compaiono sempre nelle statistiche ufficiali, pur risultando nei conti correnti.

Maria Grazia Laganà, parlamentare e vedova di Francesco Fortugno, ha invitato i magistrati a indagare sul possibile terzo livello, sostenendo che la Calabria onesta ha diritto di sapere chi sono i mandanti dell'omicidio del marito. Quella del terzo livello è un'ipotesi plausibile?

Lo scenario appare meno nebuloso di quello che sembra. Chi ha ordinato l'omicidio Fortugno pensava a una serie di obiettivi politici: un riassetto dei poteri, ma soprattutto la riaffermazione di una forza, quella della 'ndrangheta, che in Calabria non è più subalterna alla politica. Chi ha deciso l'omicidio Fortugno ha certamente messo in conto la reazione dello Stato, ma ha ritenuto che i vantaggi derivanti dall'eliminazione del vicepresidente del Consiglio regionale sarebbero stati maggiori dei danni provocati da una prevedibile azione repressiva dello Stato.

La sanità al centro degli affari della 'ndrangheta in Calabria non è una novità. Ora però sappiamo quanto sia alta la capacità di infiltrazione dei clan.

La sanità è, da sempre, uno degli obiettivi delle mafie, e le infiltrazioni della 'ndrangheta nelle istituzioni sono robuste e datate nel tempo. In Calabria la sanità assorbe i due terzi del bilancio e il sistema delle generose convenzioni a favore di strutture private ha contribuito a creare una voragine nelle casse della regione. Basta leggere la relazione della Commissione d'accesso che ha portato allo scioglimento dell'Asl di Locri per farsi un'idea. Ma Locri non è un caso isolato. Come hanno scritto Stefano Maria Bianchi e Alberto Nerazzini, la mafia è bianca e si insinua sempre più negli ospedali, nel mondo imprenditoriale e in quello politico-istituzionale in Calabria e nel resto d'Italia.[3] L'Asl di Locri, per esempio, prima che venisse commissariata, dal 2000 al 2006 aveva speso più di ottantotto milioni di euro, quasi il doppio della spesa massima autorizzabile, per un totale di oltre undici milioni di interventi sanitari. In quegli stessi anni, c'erano quattrocentomila fantasmi che gravavano sul bilancio della regione, gente inesistente o perché deceduta o perché non più residente in Calabria, per la quale era stata pagata l'assistenza a medici di base. Uno spreco di risorse per circa trenta milioni di euro.

L'azienda sanitaria «pesantemente infiltrata dalla criminalità mafiosa», di cui parla la Commissione prefettizia d'accesso, era quella dove aveva lavorato Fortugno anche in qualità di primario, prima di dedicarsi alla politica, dove lavora ancora la moglie Maria Grazia Laganà e dove lavorava, fino all'arresto nel marzo 2006, uno degli imputati per l'omicidio del politico calabrese.

Dalla relazione della Commissione d'accesso sono emerse le infiltrazioni che avevano consentito alla 'ndrangheta di far assumere affiliati e congiunti nell'Asl di Locri. Ma le 'ndrine condizionavano anche l'assegnazione e l'esecuzione di appalti e forniture, gestendo laboratori convenzionati con la stessa Asl. Tutto un mondo di grandi interessi, non sempre sommersi.

La sanità calabrese è nelle mani della 'ndrangheta. Le inchieste non si contano più. Come se ne esce?

Coinvolgendo la società civile che non può più delegare ai corrotti la gestione di enti pubblici. La malasanità è figlia di questa strategia che rinnega le competenze e incoraggia le appartenenze. Troppe persone sono entrate in ospedale per interventi ambulatoriali e non ne sono più uscite a causa degli errori di medici e infermieri poco qualificati, che hanno vinto concorsi grazie alle raccomandazioni. Dopo l'ennesima Parentopoli, la regione Calabria ha dovuto fare una legge per impedire l'assunzione di familiari. Si tratta di bonificare l'ambiente, di svecchiare l'animo di troppa gente appesantita dai bisogni, ma soprattutto dalla vergogna derivante da piccoli e grandi compromessi. La colpa non è solo dei politici, ma è anche della classe dirigente, quella imprenditoriale, culturale e professionale che non riesce a imporre alla classe politica percorsi virtuosi. Ci sono istituzioni che, invece di indicare un percorso morale e culturale, diventano strumenti di potere, per fare politica, per raccogliere voti. La politica dovrebbe tornare a essere servizio, forma di carità, come indicava Paolo VI. I giovani che oggi manifestano segni di rigetto non devono pensare di cambiare le cose entrando in questo o quel partito con il rischio di venirne fagocitati, ma devono incalzare i politici, criticarli, senza tregua. Devono far capire che ormai il vaso è colmo. Devono inoltre avvicinarsi al valore della legalità, anzi devono riscoprirlo come valore, perché oggi c'è la tendenza a considerare il rispetto della legalità come una limitazione della libertà, invece è l'unica strada per raggiungerla davvero. Per tornare alla sanità, c'è da porsi, però, una domanda: in seguito agli accertamenti ispettivi effettuati dalla Commissione prefettizia d'accesso, quanti rapporti di pubblico impiego e quante convenzioni con strutture sanitarie private sono state rescisse dalla pubblica amministrazione? Se si vuole concretamente incidere su situazioni di illegalità diffusa, così come si è nominata una commissione perché svolgesse accertamenti ispettivi, si nomini una commissione che, sulla base di tali accertamenti, assuma le necessarie determinazioni: e, cioè, disponga l'interruzione dei rapporti dell'azienda sanitaria di Locri con dipendenti che risultino legati alla 'ndrangheta e con strutture sanitarie private che risultino infiltrate dalla 'ndrangheta. Altrimenti, rischiamo di parlarci addosso.

Ma se in Calabria è quasi impossibile fare politica senza essere complici della 'ndrangheta e riceverne i voti, come si può pensare di cambiare le cose?

L'opinione pubblica si scandalizza per casi eclatanti riferiti dalla cronaca nera: omicidi tra fidanzati, uxoricidi, infanticidi, l'extracomunitario ubriaco che al volante travolge un passante. Vengono fatte campagne mediatiche martellanti su questi casi e si crea una vera e propria attenzione morbosa. Ma forse bisognerebbe rendersi conto di cosa voglia dire tenere soggiogate migliaia e migliaia di persone e paesi interi sotto la cappa delle mafie; sapere che esistono paesi dove la 'ndrangheta controlla anche il respiro, il battito cardiaco degli abitanti. Il controllo del territorio da parte della 'ndrangheta è totale e asfissiante. Non sfuggono neanche quelle attività «minori» che ci si aspetterebbe poco appetibili per chi maneggia una quantità di denaro così gigantesca come quella posseduta dalla 'ndrangheta. Anche la piccola estorsione però serve a delimitare il confine del proprio dominio sul territorio. Il picciotto che va a chiedere la tangente di trecento euro traccia semplicemente i confini. È così anche per gli appalti. Ci si potrebbe chiedere: ma perché la 'ndrangheta si interessa a un appalto di diecimila euro per la riparazione di quella strada? Ovviamente non sono i diecimila euro che fanno gola, ma è l'amministrazione, la gestione del potere e del territorio. In ogni società di 'ndrangheta – anche di Cosa Nostra o della camorra – c'è una divisione interna in settori e competenze. Per esempio, può esserci un gruppo di 'ndranghetisti che si interessa di appalti, al cui interno c'è un geometra, un ingegnere, un architetto e tre o quattro aziende che fanno parte di un cartello di imprese, tutte controllate dalla 'ndrangheta. Gli appalti vengono quindi distribuiti secondo le regole di un equilibrio criminale. E quando c'è accordo, il ribasso è minimo. Il capomafia poi imporrà le persone che dovranno lavorare nei cantieri e a quel punto chi va a lavorare penserà: «Ecco, vedi: il sindaco non è riuscito a farmi lavorare e nemmeno l'ufficio del lavoro. Mi sono rivolto a don Tizio e mi ha fatto lavorare tre mesi per la costruzione di quell'opera pubblica. Quando sarà ora delle elezioni, don Tizio mi dirà per chi votare e io lo voterò». Poi c'è un altro settore che si interessa di usura; e lì avremo un commercialista, e altre figure affini che costituiscono una rete analoga di competenze e spartizioni. Stessa cosa per il traffico di droga eccetera. Ogni capo locale si comporta come un imprenditore che diversifica le attività, che non produce un solo prodotto ma investe in diversi settori. Se ci rassegniamo a convivere con le 'ndrine, non ci sarà futuro, né per noi, né per i nostri figli.

Ma non mi ha risposto. Come si può pensare di cambiare le cose?

Dal 1992 in poi c'è stato un lento ma inesorabile sgretolamento della legislazione antimafia. Oltre alle parole, ai convegni e ai proclami, non si è visto nulla. C'è stato solo il tempo, in dieci giorni, di mettersi tutti d'accordo per approvare l'indulto. Mi chiedo: se in dieci giorni si sono messi d'accordo tutti per l'indulto, perché non si mettono d'accordo con la stessa velocità per approvare quei provvedimenti che arginerebbero seriamente la criminalità organizzata, visto che tutti dicono, a parole, che c'è un problema criminalità, che c'è un problema 'ndrangheta, che c'è un problema sicurezza in Italia? Ma, stando ai dibattiti nei quali si affannano i nostri politici, sembra che in Italia il problema siano solo i lavavetri e gli immigrati clandestini. Non v'è dubbio che molta della legislazione antimafia, nata perlopiù nei momenti di grande emergenza, dovrebbe essere rivisitata, sostituita da un testo unico che possa rendere attuabile la certezza e l'espiazione della pena per qualsiasi malavitoso. Non si deve legiferare sull'onda emotiva scatenata da fatti che colpiscono l'opinione pubblica, perché si rischia altrimenti di produrre norme che al momento possono anche apparire efficaci, ma che non mantengono la loro validità al passo con la capacità evolutiva del potere criminale. Poi nei fatti manca la benzina per le auto di scorta, vengono tagliati gli straordinari per le forze dell'ordine, e in alcuni commissariati e in tante caserme manca il gas per la cucina e per il riscaldamento. Bisognerebbe porre mano a scelte concrete e sostanziali, facendo della lotta alle mafie una priorità dello Stato, nella consapevolezza di essere in grado di sconfiggere un sistema che, da oltre cent'anni, opprime la parte sana della nostra terra, un sistema contro il quale c'è stato un minore grado di attenzione rispetto alla lotta al terrorismo. Comunque, una cosa è certa. Se le istituzioni, la cultura, la politica, la scuola e la società civile rinunciano a esercitare la propria funzione e lasciano questo terreno alle organizzazioni criminali, la lotta alla mafia è senza speranza. I giovani hanno bisogno di modelli in cui identificarsi e purtroppo, in alcune realtà, trovano soltanto quelli offerti dalle organizzazioni criminali.

Torniamo alla Calabria, dove, per infiltrazioni mafiose, oltre alle Asl, dal 1991 sono stati sciolti anche 41 consigli comunali, di cui 24 nella provincia di Reggio Calabria. Per lo stesso motivo, altri due comuni sono stati commissariati al Centronord (Bardonecchia, in Piemonte e Nettuno, nel Lazio) sempre per infiltrazioni legate alla 'ndrangheta. Servono questi provvedimenti o sono misure tampone, sensazionali, ma inutili?

Sono dei palliativi. Già prima dell'entrata in vigore della legge del 1991 sul condizionamento mafioso, il comune di Bovalino era stato sciolto per cattiva gestione e quello di Limbadi perché dopo le elezioni del 1983 era finito in mano a Francesco Mancuso, eletto sindaco nonostante fosse ricercato per mafia. Non si può pretendere di sciogliere un consiglio comunale senza bonificare il territorio. Non bastano pochi mesi o un anno di gestione commissariale per risolvere i problemi di un territorio dove la 'ndrangheta è radicata da oltre cent'anni. Spesso i consiglieri dei comuni sciolti per mafia si sono ricandidati e ci sono stati comuni che sono stati sciolti più volte e che continuano a subire il condizionamento della 'ndrangheta.

Ci sono soluzioni?

Spesso le procedure di scioglimento e di gestione straordinaria dell'ente locale non risultano convincenti agli occhi dell'opinione pubblica. L'articolo 416 ter, per esempio, punisce il voto di scambio solo in presenza di una contropartita in denaro. Sono rari i casi in cui vi è uno scambio di denaro, cioè denaro in cambio di voti. Sarebbe necessario modificare la norma, ed è auspicabile che ciò avvenga in tempi brevissimi, per poter efficacemente incidere su queste pratiche sempre più diffuse. Così come bisognerebbe rendere penalmente rilevante anche la promessa di benefici, raccomandazioni in cambio di voti. Ma sono riflessioni che non trovano ascoltatori interessati.

Nonostante la richiesta del prefetto di Latina e del ministro dell'Interno, il governo ha deciso di non sciogliere il Consiglio comunale di Fondi, il quale, per evitare un ulteriore supplemento di indagini, si è dimesso.

Purtroppo, le decisioni politiche spesso prevalgono su quelle tecniche. E in futuro sarà ancora peggio. A Fondi, comunque, la Commissione prefettizia d'accesso aveva sottolineato come «gli incarichi diretti e fiduciari avvenivano senza nessuna gara, neanche informale, da parte dell'amministrazione comunale» e che «gli appalti erano affidati al di fuori di qualsiasi evidenza pubblica e con presupposti di urgenza». Aveva anche evidenziato come «a Fondi si erano insediati da molti anni i componenti della famiglia Tripodo. In particolare i fratelli Venanzio e Carmelo», i quali, secondo la stessa Commissione d'accesso, «gestiscono rilevanti attività economiche nel settore delle pulizie, dei trasporti e del commercio di frutta, sia direttamente sia attraverso famiglie alle quali si sono espressamente legati, nel corso degli anni, anche con matrimoni e convivenze tra esponenti dell'una e dell'altra famiglia». Nel luglio 2009 erano state arrestate diciassette persone, tra cui i due fratelli Tripodo [figli di un noto boss della 'ndrangheta ucciso nel 1976], per presunte infiltrazioni nel mercato ortofrutticolo di Fondi e per sospetti episodi di collusione con funzionari del comune, tra cui i vertici della polizia municipale. In carcere era finito anche un ex assessore ai Lavori pubblici. Secondo l'accusa, i Tripodo imponevano i prezzi del mercato ortofrutticolo, uno dei più grandi d'Europa.

Mi viene in mente Giovanni Giolitti. A chi lo accusava di non aver fatto nulla per eliminare il clientelismo che ammorbava la vita politica di quegli anni, rispondeva che «un sarto, quando taglia un abito per un gobbo, deve far la gobba anche all'abito». Secondo lei la classe dirigente di questo paese, sul tema della lotta alle mafie, ragiona ancora come Giolitti?

Ha presente *Delirio a due*, il capolavoro comico emblema del teatro dell'assurdo di Eugène Ionesco? È la denuncia della chiusura e dell'incomunicabilità tra due amanti i quali, preoccupati solo delle loro beghe meschine, non s'accorgono della morte che li circonda. A me fa pensare alle emergenze negate e a quelle strumentali. Invece di affrontare e risolvere il nodo mafia-politica, si discute di chiocciole e di tartarughe, tanto per restare a Ionesco.

VII

La strage di Duisburg

«San Luca è un paese fantasma, dopo la notizia della strage di Duisburg. Il vento di scirocco sparge gli odori della campagna arida. Sulla via principale, da quelle case rustiche appoggiate sulla schiena della montagna ai piedi dell'Aspromonte, ogni tanto si affaccia una donna vestita di nero, ma l'unico rumore è quello delle auto che sgommano e vanno via, lungo la strada che porta alla statale 106, quella che costeggia il mare di Ulisse. Si respira paura. Chi era per strada è tornato a casa. E chi non era uscito non si è mosso. Poche ore prima, in Germania, sei giovani erano stati massacrati, all'uscita di un ristorante. Erano tutti originari della Locride, e tutti più o meno legati a un clan che, da sedici anni, è coinvolto in una faida che uccide uomini e donne, vecchi e giovani. Quattro cognomi che si ripetono sulla guida del telefono come sui loculi del cimitero, due schieramenti che si contendono tutto. La terra, la roba, il sangue.»[1]

Antonio Nicaso

Senza Duisburg ancora staremmo a parlare dell'enorme capacità mimetica della 'ndrangheta. Perché la faida di San Luca è riesplosa in Germania?

Le faide sono incubatrici di violenza ed esplodono quando meno te lo aspetti. L'inizio della faida di San Luca è datato 1991. L'ultimo atto è stato quello di Duisburg, a ferragosto del 2007. In mezzo, c'erano stati undici anni di tregua. Da una parte i Pelle-Vottari, dall'altra i Nirta-Strangio. A Natale del 2006 nel tentativo di eliminare Giovanni Nirta, il presunto boss dell'omonimo clan, venne uccisa la moglie, Maria Strangio. Un errore imperdonabile che ha reso inevitabile il bagno di sangue in Germania.

Perché?

Le donne nella 'ndrangheta hanno un ruolo importante. Sono vestali della cultura e della mentalità delle 'ndrine. Significa essere l'elemento che consente la prosecuzione del governo mafioso perché genera i figli maschi, perché insegna loro l'odio e come e perché va compiuta la vendetta quando si subisce un torto. Nella 'ndrangheta, il legame di sangue tende a imporsi su ogni altro tipo di relazione, e col tempo avvolge in modo sempre più vincolante tutti i membri del gruppo criminale, data la pratica sempre più diffusa dei matrimoni interni ai gruppi mafiosi, una vera e propria endogamia di ceto, che caratterizza soprattutto la 'ndrangheta in provincia di Reggio Calabria e la rende sempre più chiusa alle influenze e ai contatti con la società legale. In un comune della fascia ionica, nel secolo scorso, discendenti di due 'ndrine si sono sposati, incrociandosi quattro volte. Dopo l'uccisione di Maria Strangio, la reazione era inevitabile. In certe zone, come diceva Corrado Alvaro, la gente reclama il delitto.

Oltre a essere vestali della cultura mafiosa, sono anche custodi della memoria.

Nella logica delle faide, del sangue che chiama altro sangue, le donne sono come la dinamo. Soprattutto quando vengono colpite negli affetti più cari. Sono le donne che incitano alla vendetta perché fanno più fatica a perdonare.

C'è forse un codice che impedisce di uccidere donne e bambini?

La 'ndrangheta non ha mai guardato in faccia nessuno. Ma se qualcuno ammazza una donna, non può pensare di sfuggire alla vendetta. Deve aspettarsi una reazione forte e rabbiosa.

Eppure c'è chi dice che la vecchia 'ndrangheta fosse diversa. Meno crudele, più ancorata al senso dell'onore. Non è così?

La visione romantica della vecchia 'ndrangheta parsimoniosa nell'uso della violenza non ha alcun fondamento storico. L'elenco delle donne e dei bambini uccisi dalla 'ndrangheta è lunghissimo, a conferma che gli 'ndranghetisti non hanno valori positivi.

Torniamo alla faida di San Luca. Com'è iniziata?

Nel 1991 bastò un brutto scherzo di Carnevale per far deflagrare lo scontro tra due gruppi che avevano mire espansioniste. Alcuni giovanotti legati agli Strangio lanciarono uova marce contro il circolo ricreativo Arci gestito da Domenico Pelle, sporcando anche l'auto di uno dei Vottari. Quel gesto venne interpretato come una minaccia. Gli Strangio volevano conquistare altre quote di potere nel territorio, anche al di là dei voleri delle altre famiglie. Che capirono e reagirono, uccidendo due degli autori della carnevalata. Per quanto assurdo possa apparire, la lunga e sanguinosa faida di San Luca cominciò così.

Uccidere per non essere uccisi. Come si concilia la potenza economica della 'ndrangheta con queste logiche tribali?

La forza della 'ndrangheta sta nella capacità di coniugare vecchio e nuovo. Essa è fortemente tradizionale e, allo stesso tempo, estremamente innovativa. Nella logica delle faide è difficile spiegare antefatti e motivazioni. Spesso piccoli e banali moventi possono saturare la riserva d'odio. Le faccio qualche esempio.

Con la morte di Mommo Piromalli, avvenuta l'11 febbraio 1979 in una stanza dell'ospedale di Gioia Tauro, la gestione dell'omonimo clan passò nelle mani del fratello, Peppino. Insorsero i Tripodi, i Furfaro e i Priolo che, fino ad allora, avevano subito, più che accettato, il regime di alleanze imposto dal vecchio padrino. Scoppiò una faida. Uno dei primi a essere ucciso fu un uomo dei Piromalli. La reazione fu violenta. Un parente dei Tripodi venne sgozzato. Altri suoi familiari vennero stanati e uccisi a Verzuolo e a Sanremo, dove si erano trasferiti. Nella faida di Siderno tra i Costa e i Commisso, l'unico dei Costa che era rimasto fuori dagli affari di famiglia venne ammazzato in Canada, dove la mafia aveva quasi sempre mantenuto un profilo molto basso.

Spesso le vendette scattano nei giorni di festa, negli anniversari di altre tragedie. Il rosso del calendario segna il dolore della memoria.

Secondo l'etnologo Vito Teti, la vendetta in un universo arcaico rappresentava il tentativo di ristabilire l'ordine sconvolto da uno spargimento di sangue. Nell'orizzonte tradizionale, la regola del sangue che chiama sangue è stata spesso assunta, anche in maniera strumentale, per legittimare comportamenti cruenti della 'ndrangheta. Si può, pertanto, capire perché nei giorni di festa, o nei giorni dedicati ai defunti, quando il ricordo è più opprimente e fondante, si ricorra talora a comportamenti rammemoranti. Nella logica di alimentare il ricordo attraverso il dolore, la vendetta praticata nei momenti festivi (in un contesto mediterraneo ma anche in tante altre società tradizionali) assume un valore rituale e altamente simbolico.

Anche l'eccidio di Duisburg avvenne in un giorno di festa. E fu un risveglio da incubo. Lei ha coordinato le indagini di quella strage. Che cosa ricorda di quei giorni?

In Germania c'ero stato molte volte. E tante volte avevo segnalato alle autorità tedesche la minaccia rappresentata dalla 'ndrangheta, ma nessuno ebbe voglia di ascoltare. Prima della strage avevamo inviato la trascrizione di alcune conversazioni telefoniche che non preannunciavano niente di buono. Sono stato in Germania anche dopo la strage di Duisburg. Ricordo le foto di quei corpi straziati dal piombo, tutti finiti con un colpo di pistola alla testa a bruciapelo. Per terra gli inquirenti raccolsero 54 bossoli calibro 9, esplosi da due pistole semiautomatiche. Durante il sopralluogo davanti al ristorante che fu teatro della strage mi colpì un cartello, sul quale c'era scritto «*warum?*», «perché?». Me lo sono chiesto anch'io.

Senza risposta?

No, con tante risposte. Una diversa dall'altra, ma tutte concentrate sul disinteresse manifestato nei confronti della 'ndrangheta fino a quando si è mossa senza dare nell'occhio, senza sparare. Il ristorante della strage era stato segnalato in un rapporto del Ros, il Raggruppamento operativo speciale dei carabinieri, nel gennaio 1999. Nello stesso anno, Santo Vottari e Francesco Pelle, due esponenti di spicco delle famiglie coinvolte nella faida di San

Luca, vennero fermati in Francia mentre erano diretti a Duisburg. Nello schienale del sedile posteriore della Bmw sulla quale viaggiavano, erano nascosti trecento milioni di lire e un milione di franchi.

Noto una certa vena polemica...

Non serve. Indietro non si può tornare.

Veniamo alle indagini. Nelle tasche di una delle vittime venne trovato un santino raffigurante san Michele Arcangelo bruciacchiato.

Pensai subito che in quel ristorante prima della strage ci fosse stato un rito di iniziazione. San Michele Arcangelo è il patrono della 'ndrangheta, oltre che della polizia di Stato. E la sua immagine viene usata quando bisogna «affratellare» qualcuno alla 'ndrangheta.

Sacro e profano. Le processioni, fino a qualche tempo fa, erano il luogo dove ostentare potenza individuale e familiare.

La religione, nella nostra realtà meridionale, è un fatto visivo, come le immagini dei santi illuminate nelle camere da letto, nelle vecchie case di campagna. Ancora oggi i mafiosi, nelle feste patronali, ostentano la loro generosità. L'offerta diventa una manifestazione di potere. La 'ndrangheta è in apparenza molto devota e ossequiosa e la Chiesa spesso garantisce visibilità e riconoscimento sociale. Nelle processioni, gli affiliati vogliono essere in prima fila. A Polsi, in passato, non tutti potevano avvicinarsi alla statua della Madonna e ballarvi davanti. Era consentito solo agli affiliati oppure a quelli autorizzati dalla 'ndrangheta. Lo stesso accadeva a Gioiosa Ionica durante la processione del patrono, san Rocco. Anche qui solo gli 'ndranghetisti, o chi ne era autorizzato, poteva suonare il tamburo davanti alla statua del santo. Della festa dell'Affrontata di Sant'Onofrio, alcuni collaboratori di giustizia hanno addirittura spiegato il codice simbolico. I posti di «portantino» venivano messi all'incanto e coloro che se li aggiudicavano avevano il diritto di portare le statue del Cristo morto, dell'Addolorata e di san Giovanni. Portare a spalla la statua dell'Addolorata è un privilegio che spetta alla 'ndrangheta. Questi episodi, insieme a molti altri, danno l'idea dell'uso strumentale delle feste religiose e dei simboli cristiani.

Nel 2001 i vescovi calabresi hanno definito le processioni un «momento troppo vuoto di sfarzo paesano».

Le reazioni sono state contrastanti. Le processioni fanno parte della tradizione, della consuetudine, metterle in discussione non è facile. Gli incanti, cioè l'asta con la quale si compete per ottenere il diritto di portare a spalla i santi nella processione, andrebbero aboliti. Ci sono presuli, come monsignor Domenico Cortese, l'ex vescovo di Mileto-Nicotera-Tropea, che hanno espresso ottimismo, ritenendo che le cose possano cambiare anche in Calabria. Monsignor Cortese, motivando in una lettera la presa di posizione dei vescovi calabresi, ha scritto: «La 'ndrangheta si infiltra dove trova maglie rotte dello Stato. Del resto, se è vero che la mafia gestisce decine di milioni di euro, allora è chiaro che può comprare tutto. Il denaro è una terribile tentazione. Un parroco, con una buona offerta per le sue processioni, perlomeno tace». Appunto, anche la Chiesa ha taciuto. La 'ndrangheta è stata sempre subita come una realtà ineluttabile. Il Vangelo dice che bisogna scacciare i mercanti dal tempio. Ai divorziati vengono negati i sacramenti, ai mafiosi no. Forse i vescovi dovrebbero partire da qui per creare una frattura netta tra noi, società civile, e loro, assassini impenitenti che spargono sangue e insidie e che producono solo divisioni e vendette.

Dopo Duisburg, la 'ndrangheta ha richiamato su di sé i riflettori del mondo. Chi ha deciso che bisognava smetterla con quella faida che si era spinta fino in Germania?

Dopo la strage, i boss più importanti della 'ndrangheta si sono riuniti a Polsi, in occasione della festa della Madonna della Montagna. Da una indagine a Seminara, siamo venuti a sapere della presenza a Polsi, in qualità di pacieri, delle famiglie Alvaro e Gioffrè. Da sms inviati da persone oggetto di indagini a San Luca abbiamo avuto conferma della pace che era stata siglata dai clan coinvolti nella faida. Gente che prima aveva paura di mettere il naso fuori dall'uscio ha cominciato a farsi vedere in giro, senza timore di essere ammazzato.

Che tipo di messaggi?

Frasi del tipo: «Il tempo si è aggiustato. Ora c'è il sole». In un'altra intercettazione, uno 'ndranghetista ha raccontato la riunione per la pacificazione a Polsi: «Erano tutti là, gli Strangio, i Pelle, i Giorgi, i Nirta, contenti e gioiosi ... L'amicizia è stata sancita. È come una foglia d'albero immobile che non si muove». Ma qualche avvisaglia si era avuta ai funerali, quando i familiari di una delle vittime si erano presentati vestiti di bianco, anziché del tradizionale nero, colore del lutto.

Torniamo alle indagini sulla strage. Uno dei presunti autori è stato arrestato in Olanda. Era prevedibile?

Non è stato il primo, né sarà l'ultimo. L'Olanda fa gola agli 'ndranghetisti e non solo per il porto di Rotterdam, dove spesso sbarcano i container dei narcos, ma anche per la possibilità di investimenti che questo paese offre a chi ha tanti soldi.

Dopo la strage l'attenzione per la 'ndràngheta in Germania è cambiata. Il settimanale «Focus» nell'edizione del 9 marzo 2009 ha titolato: Mafia erobert Deutschland, *la mafia conquista la Germania.*

Meglio tardi che mai. Dal 1997 a oggi sono stati localizzati in Germania quasi ottanta affiliati alla 'ndrangheta ricercati sia a livello internazionale che nell'ambito del nostro e del loro paese. I clan dominanti sono quelli legati ai Romeo-Pelle-Vottari, che dispongono del maggior numero di basi logistiche, e quelli dei Farao e dei Carelli, originari rispettivamente della zona di Cirò e della Sibaritide. Nel 2008, il Bka, Bundeskriminalamt, la sezione anticrimine della polizia federale, ha «fotografato» la presenza della 'ndrangheta in Germania, individuando dieci basi strategiche (Duisburg, Bochum e dintorni, Erfurt e dintorni, Lipsia, Dresda, Weimar, Eisenach, Monaco e dintorni, Stoccarda, il Saarland) e collegamenti con l'Assia e il Sachsen-Anhalt. È un'analisi attenta sulle attività in Germania dei clan originari di San Luca che, secondo il Bka, sarebbero «titolari di circa sessanta ristoranti, varie imprese, diverse abitazioni e un hotel».

In rapporti precedenti, la Germania era stata definita «un territorio di transito preferito per il traffico di droga e di armi, ma anche il luogo privilegiato per il riciclaggio dei profitti illegali, con forti investimenti nei settori alberghiero, immobiliare e perfino in gruppi energetici quotati alla Borsa di Francoforte, fra cui il gigante russo Gazprom».

Come si è diffusa la notizia degli investimenti nella Gazprom?

La notizia venne segnalata dai servizi segreti tedeschi in un rapporto al Parlamento, ripreso dal «Berliner Zeitung» nel novembre 2006. Si disse che la 'ndrangheta aveva acquistato azioni della Gazprom, monopolista del gas naturale in Russia.

VIII

Gli investimenti al Nord

«A inizio settembre centinaia di "uomini valorosi" (dal greco *andragathoi*) risalgono i boschi dell'Aspromonte, sopra San Luca (Reggio Calabria), per venerare la Madonna della Montagna. Quella statua di pietra siracusana è stata scelta a simbolo ancestrale dalla 'ndrangheta calabrese, e lassù, ogni anno, si riuniscono i rappresentanti delle famiglie ('ndrine) sparse per il mondo. Così prescrive la tradizione. Per gli altri giorni del calendario l'organizzazione "più pericolosa d'Europa" (lo afferma un recente rapporto del Bnd, il servizio segreto tedesco) ha scelto una patrona diversa: la Madonnina che brilla sul Duomo di Milano. D'oro come gli affari dei calabresi che hanno trasformato il capoluogo lombardo in una delle centrali europee della cocaina.»[1]

Giacomo Amadori

La 'ndrangheta oggi è dappertutto. Lo sentiamo dire spesso. Si è insediata in diciotto regioni. Com'è stato possibile?

Molti ritengono che la 'ndrangheta si sia diffusa in Italia solo sfruttando la catena migratoria e il soggiorno obbligato. Io non sono d'accordo. L'idea del contagio, della 'ndrangheta come agente patogeno non mi convince. Per due motivi. La grande immigrazione degli anni Cinquanta e Sessanta dal Sud al Nord non ha avuto come conseguenza un aumento della criminalità o della disgregazione sociale. Voglio dire che molti calabresi sono emigrati nelle regioni del Nord per lavorare, accettando i modelli delle regioni d'adozione e lo spirito del movimento operaio e della lotta di classe. Per quanto riguarda il soggiorno obbligato, introdotto nel 1956, esso per quasi un ventennio non ha prodotto fenomeni di crescita della criminalità organizzata. Questi concetti li ha spiegati molto bene Rocco Sciarrone.[2] Solo negli anni Settanta, quando i capitali accumulati illegalmente con il traffico di droga trovano opportunità di investimento nei processi di corruzione dell'economia e della pubblica amministrazione, si manifesta pienamente la presenza di organizzazioni criminali al Nord.

Oggi la Lombardia è la regione che più di ogni altra rappresenta il dinamismo imprenditoriale della 'ndrangheta. Come hanno fatto gli 'ndranghetisti a insediarsi in modo silenzioso, ma continuo e pervasivo?

Per molti anni, la 'ndrangheta, ma anche le altre organizzazioni criminali infiltrate in Lombardia sono state sottovalutate. Nel 1989 l'allora sindaco di Milano Paolo Pillitteri ne negò l'esistenza e due anni dopo il procuratore generale Giulio Catelani fece la stessa cosa, sostenendo che nel distretto di Milano non c'erano sentenze passate in giudicato per il reato di associazione mafiosa. Soltanto dopo l'emergere di Tangentopoli è stato possibile istruire decine di processi che hanno portato alla condanna di migliaia di affiliati alla 'ndrangheta.

Significa che prima di Tangentopoli gli insediamenti sono passati sotto traccia?

Diciamo che ci sono state persone che non hanno saputo o non hanno voluto comprendere la portata del fenomeno. Come nel resto d'Italia. Faceva comodo far passare gli insediamenti della 'ndrangheta per prodotti di una sottocultura marginale, un esclusivo problema di ordine pubblico.

Oggi Milano è una delle piazze più importanti per il traffico di cocaina, così come, negli anni Settanta, era uno dei mercati più grossi per l'acquisto di morfina base. Anche allora c'erano le 'ndrine?

Nell'immaginario dei mafiosi Milano è sempre stata la città dello sviluppo economico, della ricchezza. Uno dei primi ad arrivare fu Giuseppe Doto, più conosciuto come Joe Adonis, cresciuto alla scuola dei gangster americani durante il proibizionismo. Dopo la morte di Lucky Luciano nel 1962, Adonis cominciò a gestire tutti gli affari delle cosche siciliane al Nord: bische, locali notturni, estorsioni e droga. Negli anni Settanta arrivarono Gerlando Alberti, Gaetano Fidanzati, Francesco Ciulla, i fratelli Bono, Gaetano Carollo e Luciano Liggio, che andarono ad aggiungersi a Renato Vallanzasca, Angelo Epaminonda e Francis Turatello.

E i calabresi?

Dopo l'arresto di Luciano Liggio, l'allora capo dei Corleonesi, avvenuto nel 1974, ereditarono gran parte del ramo dei sequestri. Uno dei primi attribuiti a uomini della 'ndrangheta fu quello di Emanuele Riboli, un diciassettenne rapito nel 1974 a Buguggiate, in provincia di Varese. Lo rapirono strappandolo dalla bicicletta su cui tornava a casa da scuola. Per due settimane venne tenuto nel baule di un'auto, rischiando quasi di impazzire. Alla fine lo ammazzarono con il veleno e il suo corpo venne dato in pasto ai maiali, nonostante la famiglia avesse pagato per il suo riscatto una prima tranche di duecento milioni di lire. Il sequestro venne ideato da Giacomo Zagari, un boss della 'ndrangheta che, dalla fine degli anni Sessanta, viveva a Buguggiate. Altrettanto brutale fu l'epilogo del sequestro di Cristina Mazzotti, una giovane studentessa di 17 anni rapita nei pressi della sua villa a Eupilio, in provincia di Como. Fu un caso che sconvolse l'Italia. Uno dei carcerieri, appassionato di medicina, le iniettava sonniferi quando c'era da sedarla ed eccitanti quando invece la ragazza doveva parlare con i genitori. Non resse. Venne gettata ancora viva in una discarica, nei pressi di Galliate, nel Novarese. Per il sequestro e la morte di Cristina Mazzotti venne condannato, tra gli altri, Francesco Gattini, che in quegli anni frequentava la casa di quello stesso Zagari, ideatore del sequestro Riboli e uno dei primi 'ndranghetisti a trasferirsi in Lombardia, dopo aver trafficato in nero essenze di bergamotto in Francia.

Quando, invece, la 'ndrangheta cominciò a importare eroina?

Dopo l'uscita di scena di Turatello ed Epaminonda, sul finire degli anni Ottanta. Alcune famiglie della 'ndrangheta cominciarono ad acquistare morfina base dai turchi e raffinarla con l'aiuto di alcuni chimici francesi. Dopo una prima inchiesta che aveva decimato i clan Mollica-Bruzzaniti-Palamara di Africo, la procura di Milano, su segnalazione della polizia francese, si mise sulle tracce di Charles Altieri, un chimico ricercato per l'omicidio del giudice Pierre Michel, ucciso a Marsiglia nel 1981 mentre indagava sui grandi trafficanti di droga. Quando ormai si erano perse le speranze, il 21 maggio 1990, a Rota d'Imagna, in provincia di Bergamo, tre carabinieri notarono una montagna di spazzatura davanti a una villa disabitata. Fecero irruzione e dentro, tra provette e alambicchi, trovarono due chimici francesi, collaboratori di Altieri, e un ragazzino di Platì emigrato a Corsico, Nunziatino Romeo che, terrorizzato, si era nascosto in un armadio. Da Romeo arrivarono a suo zio, Saverio Morabito, che risultò intestatario delle fatture con cui erano stati acquistati gli alambicchi trovati nella villa di Rota d'Imagna. In quegli anni, Morabito era legato a doppio filo ad Antonio Papalia, ritenuto il boss più autorevole della 'ndrangheta in Lombardia.

Come fece la 'ndrangheta a imporsi sulle altre organizzazioni?

Con qualcuna si fronteggiò con durezza, con altre diede vita ad alleanze. Domenico «Mimmo» Paviglianiti, un boss originario di San Lorenzo, in provincia di Reggio Calabria, per esempio, si alleò con Franco Coco Trovato, un altro boss calabrese originario di Marcianise, nel Crotonese e con Pepè Flachi, un reggino che aveva fatto parte della banda di Renato Vallanzasca, il re della Comasina. L'alleanza servì per chiudere i conti con il clan Batti che, disattendendo gli accordi, aveva cominciato a rifornirsi di eroina direttamente da alcuni corrieri turchi indipendenti. I Batti vendevano la droga a prezzi stracciati per battere la concorrenza dei clan calabresi. Lo scontro fu inevitabile. Il clan Batti cercò di eliminare Franco Coco Trovato, ma nell'agguato di Bresso, il 15 settembre 1990, vennero uccisi per errore due passanti. La reazione fu violenta. In una riunione a Corsico venne deciso lo sterminio del clan Batti. In quegli anni i calabresi avevano stretto un'alleanza con catanesi e napoletani. Il 19 dicembre 1990, nel Varesotto, alcuni sicari calabresi uccisero il figlio di Raffaele Cutolo per fare un favore ai nuovi boss della camorra. E quattro giorni dopo, il favore venne ricambiato in Campania con l'eliminazione di Salvatore Batti, il boss dell'omonimo clan, che sognava di raccogliere l'eredità di Renato Vallanzasca. Da allora, interi quartieri di Milano, come Bruzzano, Comasina e Quarto Oggiaro, e comuni come Corsico, Buccinasco, Trezzano sul Naviglio sono finiti sotto il controllo dei clan calabresi che, anche in Lombardia, si sono ritagliati spazi sempre più importanti nel lucroso traffico di eroina e cocaina, sfruttando le difficoltà di Cosa Nostra, più proiettata a far dimenticare l'azzardo politico delle stragi.

Com'è la situazione oggi in Lombardia?

Negli ultimi anni, nella 'ndrangheta c'è stato un cambiamento generazionale. Dopo la condanna di boss del calibro di Antonio e Rocco Papalia, Paolo e Francesco Sergi, Franco Coco Trovato e Domenico Paviglianiti, il loro posto è stato preso dai figli, dai nipoti, dai generi, dai cugini. A Milano comandano sempre i clan di Africo e la presenza della 'ndrangheta si è rafforzata in quasi tutta la regione. Negli anni Novanta c'erano trentatré locali di 'ndrangheta in Lombardia. Oggi la mafia calabrese è presente nel Varesotto,[3] nel Comasco,[4] nel Milanese,[5] a Lecco, a Bergamo e nel Bresciano (Lumezzane, Brescia e Salò). Nel 2008 la costituzione di alcune società cooperative è stata utilizzata per riprendere i vecchi legami con Cosa Nostra e in modo particolare con i Pagliarelli e i Fidanzati di Palermo. Questi nuovi rapporti sono emersi anche nella gestione di alcune cooperative di trasporto merci che operavano nell'Ortomercato di Milano.

L'inchiesta sull'Ortomercato ci ha consegnato una 'ndrangheta «madre» di piccole cooperative con pochi dipendenti, peraltro mal pagati, che fungevano da copertura per un traffico internazionale di cocaina. Un luogo diventato terra di nessuno?

Saverio Morabito non era uno che passava inosservato. All'Ortomercato, dove lavorava con un contratto fittizio, arrivava a bordo di una Ferrari 360. Ed entrava senza problemi grazie a un pass che gli aveva rilasciato la Sogemi, la società che gestisce per conto del comune di Milano tutti i mercati agroalimentari all'ingrosso della città, fra cui l'Ortomercato, uno dei più grandi d'Europa. Al termine del processo, alla Sogemi è stata riconosciuta una provvisionale di diecimila euro per essere stata danneggiata dalle infiltrazioni della 'ndrangheta. Per i boss che gestivano il traffico della cocaina a Milano e in Italia mimetizzandosi tra le bancarelle dell'Ortomercato, invece, la massima pena inflitta è stata di quattordici anni e quattro mesi di reclusione. Il tribunale ha accolto la tesi del pubblico ministero, che aveva imputato al clan Morabito-Bruzzaniti-Palamara l'organizzazione di «una delle operazioni più considerevoli di importazione di droga idonea a incidere sul prezzo del mercato internazionale degli stupefacenti».

Quando si gestiscono capitali enormi, il problema è sempre quello di trovare coperture credibili. Come fa la 'ndrangheta a stare sempre «un passo» davanti alla legge?

Semplice. Fa affari in tutto il mondo e per farli spesso ragiona con il cervello di tanti professionisti. Gente che offre i propri servizi sul mercato a chiunque sia disposto a pagarli.

Vittorio Zucconi nel suo blog su Repubblica.it ha scritto che la 'ndrangheta «expone e investe al Nord». La x al posto della s non era certo un refuso.

La morsa della criminalità organizzata sull'economia è sempre più stretta. Che la 'ndrangheta abbia messo gli occhi sui miliardi destinati all'Expo è chiaro a tutti. Lo stesso governatore della Lombardia Roberto Formigoni, al quale erano arrivate notizie su tentativi d'infiltrazioni mafiose, ha creato un comitato per la legalità per contrastare il rischio ambientale e difendere l'Expo. Il pericolo c'è. E lo si è visto con i regolamenti di conti che hanno insanguinato l'hinterland milanese quest'anno, i blitz contro i clan che gestiscono il movimento terra nei cantieri, e le inchieste sui legami sempre più stretti tra narcotrafficanti sudamericani e 'ndrine calabresi. I soldi della cocaina da anni vengono ripuliti con il cemento della Lombardia. Per l'Expo ci sono da realizzare l'autostrada Brescia-Bergamo-Milano, la Pedemontana, la Tangenziale est esterna di Milano e le linee 4 e 5 del metrò. Poi ci sono i nuovi ospedali di Milano-Niguarda, Como, Bergamo, Legnano e Vimercate.

A ridosso di ferragosto 2009, mentre lo scrittore britannico Frederick Forsyth arrivava a Milano e Buccinasco per studiare la 'ndrangheta su consiglio dell'Fbi, a Reggio Calabria è accaduto un mezzo terremoto. Secondo le rivelazioni del settimanale «Panorama», una talpa avrebbe messo in guardia alcuni indagati per l'inchiesta sull'Expo.

La notizia pubblicata da «Panorama» è stata smentita dal procuratore Giuseppe Pignatone. Non ho altro da aggiungere. Se invece mi chiede qual è la mia opinione in generale sulla fuga di notizie, io le rispondo che purtroppo quella di fare confidenze ai giornalisti, mentre le indagini sono ancora in corso, è una pratica pericolosa che a volte pregiudica anni di duro lavoro investigativo. Gli stessi giornalisti, spesso inconsapevolmente, offrono «assist» straordinari alle organizzazioni criminali. Io non metto in discussione il diritto di cronaca, ma se un'indagine è ancora in corso, un giornalista dovrebbe comportarsi in modo giudizioso e un magistrato o un investigatore dovrebbero perfino negare di esistere. Ma non siamo tutti uguali. Poi uno si chiede: chi ci guadagna? Esistono, inoltre, uomini che dovrebbero lavorare per lo Stato e che invece si fanno corrompere. Per fortuna sono pochi, ma fanno danni enormi.

Il Nord per la 'ndrangheta vuol dire solo Lombardia?

No, vuol dire anche Piemonte. Le prime infiltrazioni avvengono attraverso il controllo della manodopera meridionale nel campo dell'edilizia e coincidono con lo sviluppo turistico della Val di Susa. Il primo boss a mettere piede in quella zona e in particolare a Bardonecchia, quasi vent'anni prima, era stato Rocco Lo Presti, uno 'ndranghetista assegnato al soggiorno obbligato originario di Gioiosa Ionica. Nel 1972 venne raggiunto dal cugino Francesco «Ciccio» Mazzaferro che cominciò a operare nel settore dei trasporti, ottenendo alcuni subappalti per il movimento terra durante i lavori per la realizzazione del traforo stradale del Fréjus. Nello stesso anno un commissario di polizia, in un verbale inviato alla magistratura, scriveva: «Un gruppo di operai calabresi presentatosi armato ha costretto gli altri muratori a lasciare il cantiere, affinché esso potesse subentrare nei lavori ... Il loro intervento deve essere stato così convincente che non si sono ottenute né testimonianze, né denunce del fatto. In particolare l'impresario dice che ha preferito andarsene da Bardonecchia perché non gli conveniva più, economicamente, continuare i lavori. Ha negato ogni forma di minaccia». Col tempo gli uomini della mafia calabrese sono riusciti a infiltrarsi anche nella pubblica amministrazione. La conferma è arrivata nel 1995, quando il Consiglio comunale di Bardonecchia viene sciolto per presunti legami con la 'ndrangheta, il primo caso nel Centronord.

Ancora più eclatante, comunque, fu l'omicidio di Bruno Caccia, il procuratore della Repubblica presso il tribunale di Torino, avvenuto nel 1983.

Perché venne ucciso?

Perchè aveva messo il naso negli affari sporchi della 'ndrangheta che, negli anni Ottanta, spadroneggiava a Torino e in Piemonte. Aveva toccato i traffici di droga e aveva scoperto alcune importanti forme di riciclaggio. Ma soprattutto era un magistrato impossibile da avvicinare, in un momento in cui altri colleghi non disdegnavano l'amicizia dei boss. Venne ucciso per ordine di Domenico Belfiore, un altro boss originario di Gioiosa Ionica. Belfiore venne condannato all'ergastolo, mentre gli esecutori materiali, giunti con molta probabilità dalla Calabria, sono rimasti ignoti.

Ci furono anche sequestri di persona?

Sì. Uno dei primi fu quello di Pietro Garis, un bimbo di cinque anni, figlio di un industriale del legno, rapito nel gennaio 1975. Gli autori vennero identificati molti anni dopo: erano calabresi e piemontesi accusati anche dei sequestri di Emilia Blangino Bosco, rapita nell'aprile 1975, e di Carla Ovazza, consuocera dell'avvocato Agnelli, rapita nel novembre dello stesso anno. Vennero tutti rilasciati dietro pagamento di un riscatto.

Chi comanda oggi?

Quelli di sempre, i Saffioti, i Marando, i D'Agostino, i Crea, gli Alvaro, i Mancuso, i Bonavota, i Barbaro, i Morabito-Bruzzaniti-Palamara, i Vrenna, i Megna, gli Ilacqua, ma soprattutto gli Ursino-Macrì e i Mazzaferro. Mario Ursino, il vecchio padrino, qualche anno fa è stato scarcerato anche grazie all'indulto. A Torino, i lavori dell'alta velocità fanno gola a tutti e ci sono i subappalti da gestire.

Dall'infiltrazione al radicamento: un passaggio tranquillo in Piemonte?

C'è sempre qualcuno che ha qualcosa da dire e utilizza le armi per farlo sapere. Comunque, esiste un modo di aggiustare le cose. Nel 1982, secondo un collaboratore di giustizia, per esempio, più di settecento persone parteciparono a una riunione che si tenne nelle campagne di Gassino Torinese. Venne deciso di eliminare o espellere tutti gli 'ndranghetisti che in quegli anni sfruttavano la prostituzione, ritenuta un'attività disonorevole. Quella decisione segnò il passaggio definitivo al traffico di droga.

Dal Piemonte alla Liguria il passo è breve. Anche per la 'ndrangheta?

La 'ndrangheta è arrivata in Liguria negli anni Settanta e si è fortemente strutturata in molte città.[6] Ventimiglia, la sede più importante dell'insediamento ligure, è il luogo in cui si coordinano presenze, transiti e arrivi. Genova e Ventimiglia sono anche porti dove arriva la cocaina colombiana. Ma gli interessi della 'ndrangheta spaziano anche nel settore del falso e delle case da gioco, e soprattutto in quello immobiliare. A Genova, per esempio, come ha dichiarato recentemente il sindaco, la 'ndrangheta sta investendo massicciamente nell'acquisto di interi quartieri.

Una 'ndrangheta che trova la ricchezza al Nord e qui si ferma?

No. Purtroppo. Con l'esclusione della Campania, la 'ndrangheta ha costituito basi in tutte le regioni d'Italia, ispirando la nascita della Nuova Camorra Organizzata di Raffaele Cutolo e contribuendo alla creazione di due nuove organizzazioni criminali, in Puglia e Basilicata. Il legame con la Sacra Corona Unita risale agli anni Ottanta. Uno dei soci fondatori fu Umberto Bellocco, boss di Rosarno. Anche in Basilicata la 'ndrangheta s'intreccia con la mafia dei Basilischi, ma sono relazioni più recenti.

Nel Lazio c'è voluto il sequestro a Roma del Café de Paris, noto in tutto il mondo come il bar della «Dolce vita», per richiamare l'attenzione dei media.

Sì. Succede sempre così. Se non ci fosse stata la strage di Duisburg, la 'ndrangheta non sarebbe finita nella lista nera del governo americano assieme a tutte quelle altre organizzazioni, spesso terroristiche, che si finanziano con il narcotraffico. È stata considerata una minaccia per gli Stati Uniti perché è diventata un elemento sempre più funzionale e importante per l'arricchimento e il rafforzamento dei narcos colombiani. A Roma il Café de Paris è stato messo sotto sequestro, su disposizione del tribunale di Prevenzione. Secondo la Direzione distrettuale antimafia di Reggio Calabria, era stato acquistato, per oltre sei milioni di euro in contanti, dalle cosche che fanno capo ai Pelle-Vottari, ai Giorgi, agli Alvaro e ai Piromalli. Nel Lazio è stato sciolto un consiglio comunale e, recentemente, alcuni affiliati alla cosca Gallace-Novella, originaria di Guardavalle, sono stati condannati dal tribunale di Roma per associazione mafiosa. Una prima conferma su quanto siano gravi le infiltrazioni della 'ndrangheta nella zona di Anzio e Nettuno.

In Italia, sempre più imprenditori finiscono nelle grinfie della 'ndrangheta.

Sì. Molti sono pienamente consapevoli, altri no. Ricordo la storia di un imprenditore che, in Umbria, cominciò a subappaltare lavori ai campani e ai calabresi che avevano liquidità e facevano risparmiare un po' di euro. Il lavoro costava poco e i lavoratori non si lamentavano. Li accettò persino come soci per costruire un lotto di un grande villaggio che stava realizzando in Sardegna. Sa come andò a finire? Che alla fine si accorse che con i clan non si tratta: o tutto o niente. Chiesero di fare l'intero villaggio, e quando l'imprenditore si rifiutò di allargare la *joint-venture* bruciarono la sua Mercedes e quella della fidanzata. L'imprenditore venne intercettato mentre parlava con un amico. Diceva: «La polizia non fa nulla, aspettano che io faccio la denuncia. Ma io non sono scemo, non ho nessuna intenzione di prendermi una revolverata». E, nel frattempo, se ne stava chiuso in casa, imbottendosi di tranquillanti. Nella stessa indagine, uno 'ndranghetista è stato intercettato mentre, parlando di certi politici, diceva: «Sono nelle nostre mani, noi li facciamo diventare sindaci, assessori, e loro fanno quello che noi vogliamo, senza pagare neanche mazzette».

Fanno affari con la polvere bianca, ma non disdegnano quella grigia.

Negli anni della ricostruzione, dopo il terremoto del 1997 in Umbria, c'era bisogno di ruspe e betoniere e i calabresi si sono lanciati sui subappalti in un'alleanza con i Casalesi che dura tuttora. C'è il rischio che questa strategia possa fare breccia anche in Abruzzo. Alleanze con i Casalesi si sono registrate anche in Emilia Romagna, dove la 'ndrangheta gestisce il settore dei trasporti privati quasi in regime di monopolio, oltre ad avere le mani nel giro della manodopera in nero e del movimento terra. A Reggio Emilia, da decenni si sono insediati i clan cutresi, cioè quelli originari della zona di Cutro, in provincia di Crotone. In tribunale, nel processo nato dall'operazione «Grande Drago», un collaboratore di giustizia ha raccontato che il boss Antonio Dragone, dopo essere uscito dal carcere, in pochi giorni è riuscito a raccogliere quasi un milione di euro grazie a diversi imprenditori che hanno fatto la fila per portargli i soldi. Non aveva neanche dovuto minacciarli.

Il mattone è una costante?

Sì e se non si pone rimedio al problema dei subappalti e dei noli a freddo le organizzazioni criminali continueranno a espandersi in tutto il paese. Dove ci saranno cantieri, ci saranno mafiosi o gente che ne tutela gli interessi.

Come si può contrastare questo perverso intreccio delle 'ndrine con «la gente che ne tutela gli interessi»?

Spesso la 'ndrangheta si serve di prestanome, ma con un maggiore controllo del territorio, con continue ispezioni sui cantieri si potrebbe capire quali camion trasportano realmente gli inerti e da quali silos viene prelevato il calcestruzzo. Spesso, purtroppo, la manodopera viene pagata in nero e i materiali sono scadenti.

Qualche anno fa si disse che nelle carceri le principali organizzazioni criminali si fossero suddivise i compiti per evitare una dannosa e inutile concorrenza. È un'ipotesi credibile?

Quello delle *joint-venture* è un aspetto molto intrigante, ma non mi risulta che ci sia stato un vero e proprio accordo. Si registrano tuttavia, sempre più frequentemente, alleanze strategiche, forme di partnership criminale che però sono occasionali, funzionali a una partita di droga, a un subappalto o a una delle tante forme di riciclaggio.

Si creano alleanze anche con altre organizzazioni criminali?

Sì, spesso vengono fatte per «abbassare» i costi delle operazioni. Vengono creati cartelli che potenziano la capacità di acquistare ingenti quantità di droga. Nel 1994 a Borgaro Torinese, per esempio, vennero sequestrati 5497 chili di cocaina, importati in Italia dal Brasile per conto dei Cuntrera-Caruana, una potente famiglia di Cosa Nostra specializzata nel traffico di droga, e di un cartello, comprendente i clan Barbaro di Platì, Ierinò di Gioiosa Ionica, Morabito di Africo, Cataldo di Locri e Pesce di Rosarno.

Ci sono rapporti con le mafie dell'Est?

Gli albanesi, da quando è andata in frantumi la Iugoslavia, tramite la Sacra Corona Unita forniscono alla 'ndrangheta kalashnikov, plastico e droga in cambio di soldi e della possibilità di gestire la prostituzione sui territori controllati dalle 'ndrine. A Milano, per esempio, lo spaccio della droga, oltre che degli africani, è sempre più appannaggio di rumeni, kosovari e moldavi.

C'è relazione tra le organizzazioni criminali e i flussi extracomunitari?

La 'ndrangheta da tempo gestisce i flussi dell'immigrazione clandestina indirizzando spesso gli uomini verso il mercato delle braccia e le donne verso quello del sesso. Ci sono stati cittadini extracomunitari che dal centro di accoglienza di Crotone sono finiti negli ortomercati di Milano e Fondi, dove sono stati costretti a lavorare in nero, sfruttati e sottopagati.

La 'ndrangheta utilizza gli immigrati anche in Calabria?

Pare di sì, anche se ancora mancano riscontri giudiziari. Gli extracomunitari che in autunno raccolgono agrumi nella piana di Gioia Tauro, in estate vengono spostati in Campania per la raccolta degli ortaggi. Lavorano come schiavi e ricevono una paga di pochi euro al giorno.

IX

Le filiali estere

«L'America è sempre più cosa loro. Per il governo di Washington, le 'ndrine calabresi rappresentano una "crescente minaccia", al pari dei terroristi di Al Qaeda o del ritorno in azione dei guerriglieri del Pkk, il partito separatista curdo. Se le tradizionali famiglie di Cosa Nostra fanno fatica a svecchiare gli organici, la 'ndrangheta investe nella produzione di foglie di coca con i paramilitari colombiani e gestisce ingenti partite di droga con i Los Zetas, il braccio armato del più potente e sanguinario cartello messicano, quello del Golfo, che controlla ormai l'intera distribuzione di cocaina negli Stati Uniti.

«È solo una delle facce della "nuova Gomorra", che dalla Calabria si espande in quattro continenti: dopo aver colonizzato l'Europa adesso si allarga nelle Americhe e in Africa. Unendo armi e soldi, violenza e investimenti, è sempre un passo avanti rispetto agli investigatori: dalle miniere congolesi del coltan, minerale fondamentale per i telefonini di ultima generazione, all'infiltrazione negli appalti dell'Expo di Milano 2015.

«Da New York a Miami, la 'ndrangheta si è ormai allargata a macchia d'olio. Quella che un tempo in Florida per la sua invisibilità veniva paragonata all'altra faccia della luna,[1] oggi è una delle poche organizzazioni criminali capace di fornire capitali in una economia fortemente spossata dalla crisi. Negli Stati Uniti segnati dalla recessione, comprano tutto, come succedeva in Germania agli inizi degli anni Novanta, dopo la caduta del muro di Berlino, quando la 'ndrangheta intuì il grande business della riconversione di una delle aree industriali più grandi del continente, dove, oltre un secolo prima, era nato il capitalismo tedesco. Ma l'intera Europa orientale allora diventò terra di conquista. Uno dei *globe-trotter* della 'ndrangheta venne fermato con 2600 miliardi delle vecchie lire mentre nell'ex Unione Sovietica stava cercando di acquistare una banca, una raffineria di petrolio e un'acciaieria. Adesso invece l'Eldorado è il Nordamerica, sfiancato dal *credit crunch*.»[2]

Antonio Nicaso

Le 'ndrine si sono adeguate al fenomeno della globalizzazione: vanno lì dove domanda e offerta si incontrano. Come sono riuscite a creare questa ragnatela mondiale?

Lo ha spiegato bene il collega Alberto Cisterna, paragonando la 'ndrangheta alla temibile organizzazione terroristica guidata da Osama bin Laden. «Come Al Qaeda,» ha dichiarato Cisterna «la 'ndrangheta in Calabria si è sviluppata in un contesto economico relativamente primitivo, ma col tempo ha saputo cogliere il trend della globalizzazione e delocalizzare la propria attività.»[3] Come Al Qaeda, la 'ndrangheta è allo stesso tempo medioevale e moderna. I trafficanti di droga la preferiscono perché rispetto a Cosa Nostra, camorra e Sacra Corona Unita, è più affidabile: non parla, né si pente. L'asfissia familistica continua a mantenerla invulnerabile. Il sangue non scolora e imprigiona con i suoi vincoli. Oggi, la 'ndrangheta è l'unica mafia veramente globalizzata, simile al McDonald's e alla Coca Cola, ma ben più pericolosa e impenetrabile di Cosa Nostra.

Da dove nasce questa vocazione internazionale della 'ndrangheta?

La 'ndrangheta, per decenni, ha costruito basi all'estero: dal Canada agli Stati Uniti, dall'America Latina all'Australia, dall'Africa all'Europa. Ci sono intere comunità di calabresi trapiantate in Nordamerica, in Australia, Argentina, Germania, Francia, Belgio e Svizzera. Dalla Calabria, accanto a tantissimi onesti, sono partiti anche tanti criminali che hanno saputo sfruttare le opportunità di paesi che non avevano, e in molti casi ancora non hanno, una legislazione adeguata per combattere questo tipo di criminalità. Si sono saputi mimetizzare, adeguandosi a ogni situazione, senza mai tradire né la propria natura, né la propria struttura.

Quali sono state le prime terre di conquista?

Non è facile ricostruire la storia degli insediamenti della 'ndrangheta all'estero. A Toronto, per esempio, era già presente nei primi anni del Novecento. Nel 1911 venne ucciso uno «strozzino» che taglieggiava i commercianti di origine italiana che vivevano nella zona del porto. Lavorava per Giuseppe «Joe» Musolino, cugino e omonimo del noto bandito vissuto a Santo Stefano d'Aspromonte, uno dei primi grandi boss della picciotteria reggina. In Canada visse anche Rocco Perre, meglio noto come Perri per un errore di trascrizione nei documenti di sbarco, originario di Platì. Ai tempi del proibizionismo, fece affari con Frank Costello, un altro calabrese emigrato negli Stati Uniti, ma anche con Joseph Kennedy, il padre del futuro presidente americano, anch'egli coinvolto nel contrabbando di alcolici, prima di diventare il patriarca di una delle famiglie più potenti d'America. A Montreal fino agli anni Settanta hanno comandato Vic Cotroni, originario di Mammola, e Paul Violi, nativo di Sinopoli.

In Australia, negli anni Venti, alcune famiglie di 'ndrangheta vennero invece coinvolte in una sanguinosa guerra per il controllo del mercato ortofrutticolo di Melbourne, importante città portuale nello Stato di Victoria.

Una 'ndrangheta che in Australia si fa subito notare.

È una sorta di anomalia. Nello Stato-continente, la 'ndrangheta è stata subito più aggressiva, più che negli altri paesi. Probabilmente pesano su questa modalità inusuale le ostilità che la comunità italiana ha incontrato sulla strada dell'integrazione. Non bisogna dimenticare che l'Australia, in passato, ha ospitato i reietti, gli indesiderati della società britannica. La 'ndrangheta in Australia ha cominciato a coltivare canapa indiana, i proventi di molti riscatti sono finiti nel Nuovo Galles del Sud, in zone come quelle di Griffith, dove accanto a tanti calabresi onesti si sono insediati anche potenti clan della 'ndrangheta di Platì, Siderno, Sinopoli. In Australia, negli anni Ottanta, la 'ndrangheta ha ucciso Donald Mackay, un attivista politico, e Colin Winchester, il vicecapo della polizia federale.

Come mai due vittime così importanti?

Mackay aveva denunciato il traffico di droga. In seguito a una sua soffiata, erano state scoperte alcune piantagioni di canapa indiana e arrestate diverse persone, quasi tutte di origine italiana. In tribunale uno degli inquirenti dovette consegnare il block-notes sul quale aveva raccolto le confidenze di Mackay, e quella che doveva rimanere una segnalazione anonima finì per diventare una notizia compromettente per l'attivista politico che odiava i coltivatori di canapa indiana. Pochi giorni dopo, qualcuno lo contattò a casa, dicendogli di volerlo incontrare per informazioni importanti. Uscì di casa e nessuno lo ha mai più visto.

E Winchester?

Era un poliziotto che indagava sul narcotraffico, ma anche sulla scomparsa di Mackay. In entrambi i casi venne sospettato Robert Trimboli, un australiano originario di Platì, ritenuto uno dei più grandi trafficanti di droga in Australia.[4]

La 'ndrangheta australiana ha sempre mantenuto rapporti con l'Italia?

Sì e anche molto intensi. Sono state intercettate telefonate di congiunti che si scambiavano informazioni sugli avvicendamenti ai vertici delle varie famiglie. Una conversazione di qualche anno fa ci ha consentito di conoscere l'esito di una riunione nella quale erano state assegnate le nuove cariche in seno a una famiglia di 'ndrangheta: il capobastone, il «crimine», cioè la persona che doveva occuparsi di armi e violenza, il «contaiolo», cioè l'uomo addetto alle finanze. Ma sono continuati anche i rapporti per lo scambio di droga. Indagini, come l'operazione «Decollo», hanno portato alla scoperta di famiglie che trafficavano in cocaina ed erano in contatto con le famiglie del Vibonese, con i Mancuso di Limbadi e con i Pesce di Rosarno. I soldi venivano riciclati in banche di Hong Kong e Singapore, prima di finire in istituti di credito della Nuova Zelanda e dell'Australia.

Nell'agosto del 2008, proprio sulla rotta australiana è stato scoperto il più grande traffico di ecstasy del mondo, quindici milioni di pasticche, oltre quattro tonnellate, nascoste in container trasportati su navi provenienti dall'Italia. Tra le persone arrestate c'era anche Francesco Madafferi, 47 anni, originario di Platì.

Questo Madafferi è una vecchia conoscenza?

Sì, è al centro di uno scandalo che rischia di coinvolgere anche un ex ministro dell'Immigrazione. Nel 2005 l'allora ministro dell'Immigrazione Amanda Vanstone aveva bloccato un provvedimento di espulsione, emesso dal suo predecessore, Philip Ruddock, proprio a carico di Madafferi, la stessa persona finita in carcere per il maxisequestro di ecstasy e che oggi deve rispondere anche di tentato omicidio. Madafferi allora venne fatto rimanere in Australia per ragioni umanitarie (è sposato con un'australiana, dalla quale ha avuto quattro figli), ma anche per gravi ragioni di salute mentale. L'inchiesta di un giornale australiano ha raccolto le testimonianze di alcuni esponenti del partito conservatore, secondo cui l'annullamento del provvedimento di espulsione sarebbe stato deciso in seguito a cospicue donazioni. C'è un'indagine in corso ed è opportuno aspettarne gli esiti. L'ex ministro, successivamente nominato ambasciatore in Italia, ha dichiarato di non essere mai stato al corrente di donazioni. Una cosa, però, è certa: Madafferi era tutt'altro che insano di mente.

In Canada e Australia la 'ndrangheta è presente da quasi cent'anni. E negli Stati Uniti?

Negli Stati Uniti, molti gangster di origine calabrese sono confluiti nelle famiglie di Cosa Nostra e anche in posizioni di vertice. Prima ho citato Frank Costello, all'anagrafe Castiglia, originario di Lauropoli, in provincia di Cosenza, ma calabresi di Parghelia erano anche i fratelli Anastasio, meglio noti come Anastasia. Albert ha ereditato da Vincent Mangano la guida di quella che poi sarebbe diventata la famiglia Gambino. Il fratello Tony è stato uno dei boss che per anni ha controllato il porto di New York.

L'elenco dei calabresi è lungo: Nicodemo Scarfò, Phil Leonetti, Nick Piccolo, Angelo Bruno a Philadelphia, Giacomo «Jim» Colosimo a Chicago.

Come in Canada, anche negli Stati Uniti, già nei primi anni del Novecento, la polizia dell'Ohio era venuta in possesso di informazioni importanti sulla 'ndrangheta. Dopo l'omicidio di Seely Houk, vicecapo dei guardiacaccia nella contea di Lawrence, avvenuto il 24 agosto 1906, i sospetti caddero su alcuni italiani che vivevano a Hillsville, un paesino a dieci miglia da New Castle. Venne contattata la Pinkerton, un'agenzia di investigazioni private e venne selezionato un agente di origine italiana con l'obiettivo di infiltrarsi in quella comunità di minatori e operai, quasi tutti originari della Calabria. Questo agente fu capace di accattivarsi le simpatie di tutti e di entrare nelle grazie di Rocco Racco, un negoziante originario di Siderno, indicato come il capo della Mano Nera. Più che Mano Nera era picciotteria. L'agente, iniziato a questa organizzazione, fu in grado di ricostruire la cerimonia che risulta identica a quella condotta oggi per entrare a far parte della 'ndrangheta. La polizia riuscì a ottenere anche la collaborazione di un calabrese, un certo Luigi Ritorno, e ad arrestare Racco per l'omicidio del guardiacaccia. Racco venne giustiziato, ma molti anni dopo la magistratura dell'Ohio fu costretta ad ammettere l'errore. Non era stato Racco a decretare l'assassinio di Houk.

Solo nel 1990, però, la 'ndrangheta è stata citata in un capo d'imputazione a carico di trafficanti di droga arrestati a Tampa in Florida. L'indagine era partita da altre due località della Florida, Sarasota e Hallandale e da lì si era estesa a Philadelphia e a New York. I due tronconi dell'inchiesta hanno portato all'arresto di diverse persone, tutte collegate a Roberto Pannunzi.

È una presenza che cresce, quella della mafia calabrese sul territorio americano?

Negli Stati Uniti la 'ndrangheta ha stretto rapporti con i cartelli messicani che non hanno mai nascosto la loro intenzione di allargare i loro interessi anche in Europa. E hanno individuato nella 'ndrangheta il partner ideale. Contatti sempre più frequenti sono stati accertati da numerose inchieste. Se prima i calabresi erano costretti a confondersi con Cosa Nostra, oggi si muovono con più autonomia. Negli Stati Uniti il loro marchio è conosciuto ed è garanzia di sicurezza e solvibilità, ma il Canada resta una base privilegiata. A Toronto, Montreal, Vancouver e Ottawa ci sono presenze importanti. In Canada, negli ultimi tempi, sono stati arrestati latitanti del calibro di Antonio Commisso, boss della 'ndrangheta di Siderno, e Giuseppe Coluccio, uno che in Calabria aveva imposto il pizzo anche ai marinai del litorale ionico.

Alcune inchieste hanno portato all'attenzione internazionale il ruolo dell'Africa nelle nuove rotte del narcotraffico. L'Africa è la nuova Tortuga, l'ultimo tassello nel risiko delle 'ndrine?

In Africa la 'ndrangheta si è impiantata da tempo. Negli anni Ottanta alcuni familiari di 'ndranghetisti si sono trasferiti a Johannesburg, in Sudafrica, e hanno fatto subito fortuna. Avevano soldi da investire e nessuno li ha ostacolati. Dopo la fine della segregazione razziale e con l'inizio della democrazia e del libero mercato, il Sudafrica fa gola a tutti, anche per la presenza di diamanti, con cui sempre più spesso si acquistano grosse partite di cocaina. Un altro paese a rischio è il Senegal dove passa di tutto. Nel 2007 i clan di Africo, quegli stessi che si sono infiltrati nell'Ortomercato di Milano, hanno cercato di importare 250 chilogrammi di cocaina con camper che, dal porto di Dakar, erano destinati a Parigi, in concomitanza con il famoso rally. Quello che un tempo era considerato un cuore di tenebra, dall'omonimo romanzo di Joseph Conrad, oggi è un continente dove sempre più si concentra la presenza di importanti organizzazioni criminali. Oltre a Dakar, i porti che spesso vengono utilizzati dai narcos sono quelli di Abidjan in Costa d'Avorio, Lomé in Togo, Cotonou in Benin, Tema e Takoradi in Ghana.

Oggi l'Africa rappresenta l'avamposto alternativo alla Spagna per il flusso di cocaina dal Sudamerica verso l'Europa. In Africa sono state realizzate piattaforme per il deposito e lo stoccaggio di stupefacenti. Spesso, come abbiamo avuto modo di ricordare, la cocaina sbarca su piste clandestine in paesi controllati da dittature militari che si finanziano con la corruzione. E da questi paesi del Centroafrica, la cocaina viene trasferita su richiesta in Italia e altri paesi d'Europa.

La Spagna continua a essere per la 'ndrangheta il principale porto d'accesso all'Europa.

Dalla Spagna passano due delle principali rotte: quella che raggiunge la penisola iberica dalla Galizia, attraverso l'oceano Atlantico, e quella che arriva dall'Africa, attraverso il Mediterraneo. La Spagna è il paese ideale. Non ci sono leggi adeguate per combattere le mafie, ci sono città, come Malaga, a due passi da Gibilterra, uno dei tanti paradisi fiscali, ma soprattutto ci sono le condizioni per riciclare il denaro sporco e per stoccare enormi quantità di cocaina proveniente dal Sudamerica.

Anche la Spagna è stata violata dalla 'ndrangheta?

Sì. Ormai da tempo. Certamente da almeno quindici anni. Giacomo Lauro già nel 1992 sosteneva che in Spagna vivessero stabilmente alcuni cittadini colombiani e boliviani che gestivano grossi depositi di cocaina nei dintorni di Barcellona e che avevano rapporti con alcuni clan della 'ndrangheta. I primi riscontri sono datati 1996, quando vennero identificati e arrestati diversi latitanti, due dei quali vennero trovati in possesso di novanta diamanti di grosse dimensioni, a testimonianza che già allora in Spagna la 'ndrangheta utilizzava forme di pagamento alternative al denaro per acquistare la cocaina. A Madrid è finita anche la latitanza di Roberto Pannunzi. Era fuggito lì dalla Colombia assieme al figlio Alessandro. Venne arrestato mentre si recava a cena da una contessa. Con lui sono finiti in manette anche il figlio e il genero, tutti coinvolti nel traffico di droga.

La 'ndrangheta ha avuto rapporti anche con l'Eta?

Non direttamente. Secondo un collaboratore di giustizia, l'organizzazione terroristica basca sarebbe stata contattata da un trafficante di droga colombiano per costringere un clan del Vibonese a pagare un carico di cocaina, mai arrivato a destinazione perché sequestrato dalla polizia in Spagna. Lo stesso collaboratore di giustizia ha affermato che, oltre al recupero crediti, l'Eta si finanzia anche con il traffico di droga. Le foto di un'azienda del clan vibonese sono state spedite ai titolari dalla Colombia via fax, seguite dalla minaccia di ricorrere all'Eta per far saltare la sede dell'azienda in caso di mancato pagamento. Dall'operazione «Decollo», coordinata dalla Direzione distrettuale antimafia di Catanzaro, è nato un procedimento non ancora arrivato a giudizio.

Al di là dell'Eta, ci sono rapporti con il terrorismo?

Ci sono stati per scambio di armi e di droga. Negli anni Novanta, siamo riusciti a intercettare un carico di armi destinato all'Ira. Durante un'intercettazione ambientale, abbiamo saputo della presenza in un bosco di Rosarno di grosse quantità di gas nervino. E ci sono inchieste che confermano l'acquisto di hashish e morfina base rispettivamente da organizzazioni terroristiche libanesi e turche. Ormai il traffico di droga è diventato una delle principali forme di finanziamento del terrorismo internazionale. L'Afghanistan resta il primo produttore mondiale di oppio: dopo lo stop imposto dalla guerra del 2001, la produzione è tornata a crescere. Secondo stime delle Nazioni Unite, i terroristi e i signori della guerra locali si dividono parte dei trenta miliardi ricavati dall'eroina venduta sul solo mercato europeo. Un chilo di oppio costa oggi centoventi dollari: gli afghani hanno scoperto il loro oro nero. Anche perché i quattro quinti dell'oppio locale vengono convertiti in eroina direttamente in Afghanistan, grazie alle diecimila tonnellate di precursori chimici che entrano ogni anno nel paese e che consentono il processo di raffinazione.

Il traffico di hashish proveniente dal Marocco è stato considerato dagli investigatori il principale canale di finanziamento dello sventato attacco alle navi da guerra della Marina Usa nello stretto di Gibilterra del 2002, delle bombe a Casablanca nel maggio 2003 e degli attentati ai treni di Madrid del marzo 2004. In Marocco, cellule armate sono state scoperte proprio nelle zone coltivate a cannabis. È sempre più difficile distinguere i gruppi terroristici dalle comuni organizzazioni criminali, perché tendono sempre più a sovrapporsi. Se non si recide il legame tra crimine, droga e terrorismo, il mondo assisterà alla nascita di un ibrido, le organizzazioni terroristiche della criminalità organizzata.

Anche in Spagna gli 'ndranghetisti hanno agito sotto traccia?

Quasi sempre, tranne in qualche occasione. Da un'indagine della magistratura italiana è emerso che un esponente della famiglia Bellocco, assieme a un complice, si sarebbe reso responsabile dell'omicidio, avvenuto tra il 18 e il 21 ottobre 2002, a colpi di ascia, di Emiliana Fernández Gorrido e del marito Carlos José Lapa Amancio, ritenuti confidenti della polizia spagnola, ma anche responsabili del mancato pagamento di una fornitura di cocaina.

In che cosa investe la 'ndrangheta in Spagna?

La 'ndrangheta investe soprattutto nel mattone. E in questo momento sta sfruttando il boom immobiliare che caratterizza la Spagna anche in tempi di crisi. Ma decine di milioni di euro sono finite anche nel turismo. Oggi in Spagna circola il 23,7% delle banconote da cinquecento euro disponibili in Europa. La moneta unica ha facilitato le operazioni di riciclaggio. Quando ogni paese aveva una propria moneta, riciclare in lire, franchi francesi, marchi e pesetas era molto più costoso che riciclare in dollari. Al costo del cambio della singola moneta bisognava aggiungere il costo di intermediazione. L'euro, che ha banconote di valore più alto rispetto al dollaro americano, è diventata la valuta preferita dei trafficanti internazionali di droga.

In Europa ci sono altre rotte della cocaina, oltre a quella africana e quella atlantica che passano dalla Spagna?

Sì. Ve n'è una terza che raggiunge l'Europa dal nord e dal centro, attraverso i porti di Rotterdam in Olanda, Anversa in Belgio, Brema in Germania e Costanza in Romania.

Anche l'Olanda è diventata una base privilegiata?

Recentemente in Olanda sono stati arrestati diversi latitanti. La 'ndrangheta è alla continua ricerca di luoghi dove investire. L'Olanda è vicina alla Germania, tradizionale sede di molti interessi legati alle 'ndrine, ma è grazie al porto di Rotterdam che la 'ndrangheta può seguire da vicino lo sbarco dei container provenienti dal Sudamerica e riciclare il denaro sporco con investimenti sempre più sicuri.

E negli altri paesi d'Europa?

La situazione non consente di stare tranquilli. In Belgio nel 2004 cosche di San Luca e Rosarno hanno riciclato 28 milioni in un giorno, comprando un intero quartiere di Bruxelles. In Francia la 'ndrangheta è presente sulla Costa Azzurra e a Clermont-Ferrand, il capoluogo del dipartimento del Puy-de-Dôme e della regione dell'Alvernia. A Cannes, nell'agosto 2002 è stato arrestato Luigi Facchineri, capo dell'omonimo clan di Cittanova, coinvolto in una lunga e sanguinosa faida con i Raso-Albanese. Anche in Portogallo, la 'ndrangheta è presente da tempo. Nel 1992, a Faro, una cittadina sull'oceano Atlantico, venne arrestato Emilio Di Giovine, detto «cannalunga», che alcuni mesi prima era evaso in modo spettacolare dai sotterranei dell'ospedale milanese Fatebenefratelli, dove era stato ricoverato. Nel 2001 il Sisde segnalò «l'internazionalizzazione delle organizzazioni criminali in grande scala in Portogallo. Mafie e triadi cinesi unite in un potenziale criminogeno molto diversificato: droga, prostituzione, gioco illecito e commercio di armi». Nel 2007, nell'ambito di un'indagine sul riciclaggio e l'infiltrazione nelle cooperative dell'Ortomercato milanese, venne arrestato un affiliato al clan reggino Morabito-Bruzzaniti-Palamara, nullatenente in Italia, ma con diverse proprietà in Portogallo, dove era stato anche incarcerato.

E la Svizzera? Va ancora considerata come un grande caveau per i proventi della criminalità?

Nel 1997 un commercialista milanese, cognato di Sindona, trasferì il capitale di ventisei società della 'ndrangheta con una triangolazione Milano-Lussemburgo-Lugano in soli quindici giorni. Negli ultimi vent'anni, in Svizzera sono approdate tantissime rogatorie sulla 'ndrangheta e non tutte limitate alle 'ndrine. In Svizzera, usando gli stessi canali, sono finiti anche i frutti della corruzione politica.

Si possono seguire i movimenti degli 'ndranghetisti all'estero?

È difficile perché sono tanti. Le polizie degli altri paesi non sempre collaborano. Negli ultimi tempi la situazione è migliorata; si fidano di più. Ma non sono attrezzati per combattere un fenomeno transnazionale come quello delle mafie.

Scrive il Ros: «Tra le matrici criminali nazionali, indubbiamente, la 'ndrangheta è quella a maggior vocazione internazionale, vantando propaggini operative in tre continenti (Europa, Americhe e Oceania), nonché importanti collegamenti in Medio ed

Estremo Oriente e in Africa, che ne hanno favorito l'ascesa nei mercati internazionali degli stupefacenti, con un ruolo di preminenza riconosciuto anche dalle altre organizzazioni mafiose». Un rapporto che vede quindi la 'ndrangheta presente anche in Medio ed Estremo Oriente.

Sì, i contatti con l'Asia risalgono a tempi lontani. Alla fine degli anni Settanta la famiglia De Stefano di Reggio Calabria importava hashish dal Libano assieme a Pippo Ferrera, cugino del boss Nitto Santapaola di Catania. L'hashish, nell'ordine delle centinaia di chili, veniva sbarcato al porto di Saline Ioniche, nei pressi della Liquichimica, lo stabilimento mai entrato in funzione che è servito soltanto ad arricchire gli Iamonte di Melito di Porto Salvo, una famiglia di salumieri. Altri contatti della 'ndrangheta in Asia si scoprono in Thailandia e Indonesia.

Da un'inchiesta emerge che i servizi segreti del Kuwait avevano cercato di contattare esponenti della 'ndrangheta per recuperare parte del tesoro trafugato da Saddam Hussein durante la guerra del Golfo. Analogamente a quanto accaduto con una famiglia di Cosa Nostra residente in Canada, a cui era stato chiesto di recuperare il tesoro del defunto dittatore delle Filippine Ferdinand Marcos.

I sistemi di riciclaggio sono sempre gli stessi?

Si continuano a utilizzare i sistemi vecchi e sperimentati, ma la 'ndrangheta, grazie a una crescente sinergia con professionalità corrotte, tenta quotidianamente il salto di qualità tecnologica. Alcuni anni fa ha tentato senza successo anche di inserirsi nella posta elettronica della Deutsche Bank di Milano per clonare titoli al portatore e rinegoziarli presso altre banche.

Aumentano i guadagni e diminuiscono i rischi?

Diciamo che la 'ndrangheta ha saputo inserirsi nei grandi flussi finanziari, sottomettendo la cultura della violenza ai dettami della razionalità economica. Quello degli insediamenti extraregionali è un plusvalore che ha garantito il progressivo inserimento nel tessuto economico del Centro e del Nord Italia, ma anche di molti paesi europei ed extracomunitari.

Un ufficiale della guardia di finanza, citato da Corrado Stajano nella sua rubrica «Storie italiane» sul «Corriere della Sera», parlando della 'ndrangheta, ha dichiarato: «Abbiamo accertato l'esistenza di 120 tonnellate metriche di oro o diamante, o valuta libica, oppure dollari kuwaitiani scambiati contro dollari e tutto con procedure bancarie telematiche, che permettono di spostare milioni di dollari senza che materialmente un cent esca dalle tasche. Abbiamo individuato i conti correnti all'estero che sono nelle Bahamas, in Russia, nell'ex Iugoslavia, in Austria». Stajano ha commentato: «Che non si dica più che la 'ndrangheta è un residuo arcaico».

Purtroppo si dice ancora. Questo, Stajano lo scriveva nel 2000. Sono passati nove anni e siamo punto e a capo, almeno nella percezione del pericolo.

X

Le radici

«Dà del voi e al telefono risponde con un "Chi è?" al posto del consueto "Pronto...?". Due dettagli che la dicono lunga sulla sua storia personale, intrecciata al modo di intendere un ruolo, quello di magistrato, che per lui è diventato molto più di una professione. Nicola Gratteri dà del voi perché in Calabria si continua ancora a fare così con i nuovi venuti o con le persone alle quali si voglia dimostrare considerazione e rispetto. Un residuo del passato che è anche testimonianza di un attaccamento alla propria terra, "una landa desolata" nella quale vive "in cattività" dal 1989, da quando cioè gli è stata assegnata la scorta.

«Perché quest'uomo di 51 anni, che va sempre di corsa e che con i suoi "Chi è?" al telefono offre una disponibilità necessariamente concisa, è diventato il nemico numero uno della mafia calabrese.»[1]

Paola Ciccioli

Ogni volta che mi guardo allo specchio scopro di assomigliare sempre di più ai miei genitori. Succede anche a lei?

Le radici sono tutto. Mia madre e mio padre mi hanno fatto capire l'importanza del sacrificio, dell'onestà e dell'amore verso il prossimo. Io sono il terzo di cinque figli. Da mio padre ho preso la rettitudine, ma anche la sobrietà dei sentimenti. Ricordo che i miei erano misurati anche quando succedeva qualcosa di cui gioire. Dicevano: «Pari bruttu», sembra brutto gioire eccessivamente, faremmo un torto a chi sta peggio di noi e non ha motivo di rallegrarsi.

Come vivevano i suoi genitori?

Mio padre Francesco, negli anni Cinquanta, aveva comprato un piccolo camion con cui trasportava cereali e ghiaia nei paesi della Locride per conto di agricoltori e imprenditori della zona. Poi rilevò un negozio di generi alimentari da suo zio e cominciò a vendere pasta, ma anche vino che produceva in proprio con l'uva acquistata a Cirò. Gli ultimi quindici anni della sua vita li ha vissuti su una sedia a rotelle, in seguito a un ictus che lo privò anche della parola.

Com'era suo padre?

Taciturno, parlava con gli occhi. Da piccolo ero vispo, non stavo mai fermo. E bastava uno sguardo di mio padre per mettermi in riga. Spesso le prendevo. E mi ricordo ancora oggi tutte le ragioni per le quali mio padre mi dette qualche ceffone. Ma la cosa che ricordo di più è la sua generosità. Aveva un appezzamento di terreno dove coltivava di tutto. E ogni anno ammazzava due maiali, uno per la famiglia e un altro per i poveri. Era una festa, c'era il senso della comunità. Quando poi acquistò il negozio di generi alimentari, diventò ancora più triste. Odiava stare fermo dietro un bancone. A Gerace quasi tutti acquistavano con la «libretta», a credito. Pagavano una volta all'anno con i soldi ricavati dalle vendite delle bestie alla fiera della Madonna del Carmine, nella seconda metà di luglio.

«Poveretti, devono mangiare pure loro» diceva per giustificare i continui ritardi nei pagamenti.

E sua madre?

Mia madre era simile a mio padre, anche lei molto parca nella manifestazione dei sentimenti. Ma sapeva essere dolce, affettuosa. Era anche molto forte. Pesava le persone con lo sguardo e i suoi giudizi erano cassazione. Non si sbagliava mai sulle persone. Come mio padre, aveva studiato poco. Mi pare che avesse fatto la terza elementare. Ai suoi tempi, le ragazze, più che a scuola, andavano dalla sarta a imparare a cucire. Anch'io ho fatto quella trafila. E di questo sono grato ai miei genitori. Da piccolo ogni estate andavo a imparare un mestiere. Ho fatto il calzolaio con mastro Felice, ma anche il meccanico, il panettiere e il manovale. Ho imparato a stare e a vivere tra la gente, a capire l'importanza del lavoro e del sacrificio.

Che scuole ha fatto?

Ho frequentato le elementari a Gerace e le medie e il liceo scientifico a Locri. A Gerace dove ho avuto insegnanti molto sensibili mi sono trovato subito a mio agio. Eravamo tutti figli di gente modesta. A Locri invece ho studiato con figli di professionisti o comunque con gente molto diversa economicamente dalla mia famiglia e dalle mie abitudini che erano molto frugali.

Che ricordi ha di quegli anni?

Ricordo il mio compagno di banco. Era un ragazzo taciturno. Gli avevano ammazzato il padre in un agguato di mafia. Quando gli facevo qualche domanda si infastidiva.

Molti anni dopo fece la fine del padre. Era entrato nello stesso giro. In classe con me c'era anche la figlia di un noto capobastone, mentre un compagno di giochi me lo sono trovato di fronte in un'aula di tribunale. Abitava vicino a mia zia Savina, la sorella di mio padre, in contrada Gabella, a Locri. Giocavamo a nascondino. Era un ragazzo molto generoso, anche lui figlio di contadini. Da grande cominciò a frequentare il clan Cataldo. Durante una perquisizione la polizia gli trovò in casa un arsenale. Come pubblico ministero chiesi e ottenni la sua condanna per associazione a delinquere di stampo mafioso, detenzione di armi e munizioni da guerra. Ci siamo guardati negli occhi e, senza parlare, ci siamo detti tante cose. Poi le nostre strade si sono nuovamente divise.

Che cosa ricorda della scuola?

Oltre a essere vispo, studiavo poco. Avevo una memoria di ferro e riuscivo a ricordare tutto ciò che gli insegnanti dicevano in classe. Poi, arrivato a casa, prendevo la bicicletta e pedalavo per ore. Ogni tanto giocavo anche a calcio, ma non ero bravo. Ero cicciottello. Facevo il terzino e fermavo gli attaccanti più con la stazza che con la tecnica. Mio fratello Santo, invece, era un talentuoso attaccante. Segnava sempre. Poi comprai un ciclomotore e cominciai a provare l'ebbrezza della velocità. Correvo come un pazzo.

E i suoi non dicevano nulla?

Lavoravo, mi davo da fare. Nel 1974, dopo aver aiutato i miei nella pigiatura dell'uva, con il Caballero di un amico andai a fare una passeggiata a Locri. Era settembre, faceva ancora caldo. Feci incautamente una inversione a U e venni travolto da una Citroën. L'impatto fu tremendo. Sono stato in coma per dodici giorni, e tre mesi senza camminare. Mio padre legò il motorino a una trave del garage e fui costretto a camminare a piedi. L'anno dopo accadde qualcosa che cambiò la mia vita.

Che cosa?

Mio zio Antonino, il fratello di mia madre, si ammalò seriamente. Gli diagnosticarono un tumore al pancreas e si spense. Era un avvocato civilista molto apprezzato. Conosceva i classici e recitava a memoria le tragedie di Shakespeare. Negli ultimi mesi della sua vita dormivamo nella casa di nonna Sina, la sera mi fermavo davanti al suo letto e rimanevo incantato dai suoi ragionamenti. Capii che dovevo cambiare vita. E cominciai a studiare. Dopo la maturità scientifica, mi iscrissi alla facoltà di Legge dell'università di Catania. E lo feci per evitare Messina, dove si erano iscritti molti amici e conoscenti della Locride. Ho cominciato a studiare come un pazzo. Mi facevo la barba una volta alla settimana, di sera non uscivo quasi mai e leggevo di tutto. Ero ossessionato dal trascorrere del tempo. Mangiavo yogurt, pomodori e panini. Dormivo pochissimo, mi addormentavo quasi sempre con la luce accesa. Una notte, durante un temporale, un cortocircuito provocò l'incendio della termocoperta, delle lenzuola e di parte del materasso. Anche in quella circostanza, la sorte è stata dalla mia parte. Ma dormivo poco anche perché mi sentivo in colpa con i miei. Non volevo gravare più del dovuto sulle loro finanze. Mio fratello e mia sorella erano andati all'università prima di me, a casa c'erano altri due figli che ancora studiavano. E mio padre non stava più bene. Anche lui si stava spegnendo lentamente su quella sedia a rotelle, con gli occhi lucidi e l'orgoglio di sempre. Riuscii a laurearmi in quattro anni.

Alla cerimonia con me c'era solo il mio compagno di stanza, Antonio Angelico, che oggi fa l'avvocato in provincia di Siracusa. Provai molta gioia, ma quando tornai a casa feci finta di nulla. Anch'io come mio padre ho imparato a centellinare le emozioni.

Non mi dica che neanche in quell'occasione i suoi fecero festa?

Quale festa? Sembrava brutto. Mia madre era molto misurata, ci teneva molto a non dare nell'occhio, e mio padre a causa dell'ictus non parlava più da tempo.

Che cosa ha fatto dopo la laurea?

Ho avuto sempre in mente di fare qualcosa per la mia terra. Ho sempre odiato i prepotenti. Mi è subito balenata l'idea di fare il concorso in magistratura, ma me la sono tenuta per me. Ho frequentato per un po' lo studio che era stato di mio zio. E poi ho cominciato a prepararmi. Due anni, senza tregua, inchiodato a una sedia. Nessuno sapeva che cosa stessi facendo. Mi venivano in mente le parole di mia madre ossessionata dall'idea di non fare brutta figura. Quante volte le ho sentito dire le stesse parole. Non bisogna fare brutta figura, perché altrimenti la gente parla. E noi non dobbiamo dare nell'occhio. Ho superato lo scritto, arrivando diciassettesimo su dodicimila candidati e poi ho superato l'orale. Anche in quell'occasione, con mio padre ci siamo parlati con gli occhi. Mia madre invece mi ha dato una pacca sulle spalle e mi ha detto: non dimenticare mai chi sei e da dove vieni. Ai miei devo molto, soprattutto ora che non ci sono più. Non finirò mai di ringraziarli.

Com'è stato l'impatto con il mondo della magistratura?

Ho avuto dei colleghi che mi hanno aiutato a capire meglio questo mestiere. Dopo due anni da uditore a Catanzaro, dovetti prendere una decisione importante: la scelta della sede. C'erano posti vacanti a Sanremo, Venezia, Brescia e Torino, ma io scelsi di restare in Calabria, dove sono nato.

È stata una scelta sofferta?

No, non c'è posto migliore di quello in cui sei nato e cresciuto. Ho deciso di restare, pur sapendo di andare incontro a molte privazioni. Ma l'ho fatto con la convinzione di poter contribuire a risolvere i problemi di questa terra. Io sono rimasto accanto alle mie radici per costruire il futuro, il mio e quello della mia famiglia.

Non si è mai pentito di quella scelta?

No. Anche se ci sono stati momenti difficili. Nel 1989 il presidente del tribunale di Locri mi spostò all'ufficio istruzione, dove c'era Marcello Rombolà, un magistrato molto intelligente e preparato. Accettai il nuovo incarico con un po' di perplessità. Fosse stato per me, sarei rimasto in tribunale a fare esperienza. Rombolà mi fece vedere i fascicoli in giacenza, tra i quali uno che era stato aperto in seguito all'omicidio di un imprenditore della Locride.

Chi era questo imprenditore?

Si chiamava Giuseppe Galluccio ed era stato ucciso il 5 giugno 1988 con cinque colpi di fucile caricato a pallettoni, all'uscita da una villa di Ferruzzano, dove c'era stata anche una cena alla quale aveva partecipato l'allora assessore regionale alla Forestazione, Giovanni Palamara.

Sfogliai quelle carte e mi colpì la trascrizione di una telefonata, nella quale il proprietario della villa [l'allora presidente dell'Istituto autonomo case popolari] confidava a un importante dirigente del partito socialista calabrese la presenza a cena di un mafioso di Locri. Feci fare ulteriori indagini e scoprimmo che Galluccio stava realizzando una diga inutile per un laghetto, tra i comuni di Sant'Agata del Bianco e Samo, alle sorgenti del bacino La Verde, nella Locride.

Che vantaggio c'era nel costruire una diga inutile?

Sebbene quella diga non servisse a nulla, i lavori, perlomeno, avrebbero dovuto essere realizzati in economia, utilizzando operai forestali, come aveva stabilito una delibera dell'allora giunta regionale. Invece vennero assegnati in licitazione privata alla ditta Galluccio, malgrado non fosse abilitata a eseguire lavori della categoria e dell'importo di quelli aggiudicati (poco meno di un miliardo). Feci arrestare l'assessore alla Forestazione e, in seguito a quel provvedimento, la giunta regionale decise di dimettersi. Cominciarono così i primi problemi. Minacce al telefono, lettere minatorie. Qualcuno esplose alcuni colpi di pistola contro l'abitazione della mia fidanzata, seguiti da una telefonata: stai per sposare un uomo morto. Il Comitato per l'ordine e la sicurezza mi assegnò una scorta. Intervenne anche l'Associazione nazionale magistrati e, alla riunione che ne seguì, un collega più anziano cercò di dare un'interpretazione diversa alle minacce, ipotizzando che a sparare fosse stato un rivale in amore. Capii che non sarebbe stato facile fare il magistrato. E che forse mia madre aveva ragione a diffidare anche della propria ombra.

Nel 1993 ci furono altre minacce. Un collaboratore disse che stavano per preparare un attentato contro di lei.

C'era un'aria molto pesante attorno a me. Avevo fatto diverse indagini sui traffici di droga, nei quali erano coinvolti i clan della Locride, e il tuffo improvviso nell'universo della 'ndrangheta era stato appassionante, intenso e formativo. A Platì, per esempio, avevo scoperto come le principali famiglie di quel paese avessero strappato ai proprietari un'intera montagna che sconfinava nel comune di Varapodio. Molti avvocati mi rimproveravano di assecondare troppo il lavoro delle forze dell'ordine. Prestavo attenzione a ogni minimo segnale.

Come ha reagito la sua famiglia?

Con preoccupazione, comprendendo che non c'era alternativa. Non avrebbe avuto senso vivere da vigliacchi.

Poi, nel 1996, ci fu un incidente che coinvolse un'auto della sua scorta. Perse la vita un giovane di Locri, investito dalla vettura in corsa.

Fu un momento terribile. I boss del luogo presero spunto da quella disgrazia per bloccare la statale 106 e la ferrovia. Vennero incendiati cassonetti della spazzatura e alcuni muri vennero imbrattati con esplicite minacce nei miei confronti «Gratteri, morirai» e «Gratteri, ti uccideremo». Un parlamentare, Renato Meduri, scrisse un lungo articolo sul quotidiano «Gazzetta del Sud» per chiedere il mio trasferimento per incompatibilità ambientale. Furono momenti difficili, soprattutto per la mia famiglia. Il processo fu trasferito da Locri a Messina per motivi di sicurezza. L'indagine della procura di Messina accertò che fu la vittima a tagliare la strada all'auto della polizia che mi faceva da scorta. Io non me n'ero accorto. Capii che qualcosa era accaduto quando non vidi più la vettura nello specchietto retrovisore. Mi fermai presso la compagnia dei carabinieri di Locri dove appresi la notizia dell'incidente. Ho provato dolore, un dolore uguale a quello provato in occasione delle tante altre vittime della statale 106.

Nel 2005 due 'ndranghetisti sono stati intercettati mentre discutevano nel carcere di Melfi di come far saltare in aria lei e la sua scorta. «Perché tutto questo sangue?» chiedeva uno dei due. E l'altro: «Perché Gratteri ci ha rovinato». Qualche giorno dopo nella piana di Gioia Tauro venne scoperto un arsenale: pistole, lanciarazzi, kalashnikov, un chilo di plastico e alcune bombe a mano. Cha cosa ha provato?

Ho cercato di mantenere i nervi saldi e di continuare nel mio lavoro. Per fortuna non mi annoio mai. Ormai sono abituato. Con la morte bisogna convivere. Quando è morto mio padre non sono potuto andare neanche al funerale. Era un momento particolare, anche allora si parlava di attentati. Ricordo quando i carabinieri arrestarono Giuseppe Morabito, uno dei boss più potenti della 'ndrangheta: andai a interrogarlo nella sede del Raggruppamento operativo speciale a Reggio Calabria. Era diverso da come me lo immaginavo. «È colpa mia se oggi siamo uno di fronte all'altro» mi disse senza tanto rancore. Mi bastarono quelle poche parole per capire il senso di un'altra notizia che avevo appreso qualche anno prima. C'era stata una riunione convocata per decidere sulla mia eliminazione. Fu un boss della Locride a mettersi di traverso, facendo saltare l'unanimità su quella decisione: si trattava proprio di Morabito. A Reggio e nella piana di Gioia Tauro mi volevano morto. Proprio i boss contro i quali non avevo mai fatto nulla. Strana la vita! Feci comprare dei panini e mi sedetti davanti a Morabito. Cominciammo a mangiare, guardandoci negli occhi. Lui non avrebbe risposto all'interrogatorio e io sarei presto tornato in procura. Mi salutò in modo inaspettato. «Signor giudice, lei è un uomo.» Lo salutai con un cenno della mano.

Com'è il suo rapporto con gli 'ndranghetisti?

Mi sono sempre mosso con estrema cautela, evitando sia le false complicità che gli atteggiamenti autoritari o arroganti. Non ho mai umiliato nessuno, abusando del mio potere. Ma ho sempre preteso che il mio ruolo venisse riconosciuto. Tra me e loro c'è sempre stato un tavolo di mezzo. Il lavoro del magistrato consiste anche nel padroneggiare una griglia interpretativa dei segni. Per un calabrese come me, rientra nell'ordine delle cose. Nella 'ndrangheta tutto è messaggio, tutto è carico di significati. A volte i silenzi valgono più di mille parole. Non esistono particolari trascurabili.

La talpa e il corvo come nel porto delle nebbie siciliane, ai tempi di Giovanni Falcone. Nell'aprile 2008, durante una bonifica degli uffici al sesto piano del palazzo di giustizia di Reggio Calabria, i carabinieri trovarono una microspia nella stanzetta attigua all'ufficio dove lei andava a parlare delle questioni riservate con i collaboratori più stretti e fidati. Un pubblico ministero che per lavoro intercetta altri si trova egli stesso a essere controllato! Che idea si è fatto di quella vicenda?

Non posso parlarne, c'è ancora una indagine in corso. Mi ha fatto impressione scoprire che la microspia non avrebbe potuto irradiare il segnale se non in un raggio molto limitato.

È inquietante pensare che il segnale restava confinato dentro lo stesso palazzo di giustizia. Qualche talpa interna?

Non saprei. Come le ho detto, c'è un'indagine in corso.

Quella in trincea è anche una vita di rinuncia. C'è qualcosa a cui lei non ha saputo rinunciare?

Per i profili di sicurezza, la mia vita privata è fortemente condizionata dal lavoro che faccio. Negli ultimi vent'anni non sono mai entrato in un cinema, né ho potuto seguire una partita di calcio allo stadio o fare una passeggiata sul corso. Ma a due cose non ho mai rinunciato. La prima è coltivare la terra. La seconda è andare nelle scuole per spiegare ai giovani perché non conviene essere 'ndranghetisti. La passione per l'agricoltura l'ho ereditata da mio padre, perché a Gerace, dove vivo con mia moglie e i nostri due figli, abbiamo sempre avuto della terra e l'abbiamo sempre coltivata. Sono i miei momenti di libertà.

Parlare con i giovani è altrettanto gratificante perché è come lavorare la terra, coltivare nella speranza di raccogliere frutti. A loro cerco di far capire che anche nella 'ndrangheta ci sono le corsie preferenziali. Se non sei figlio di boss, resti un picciotto. E dopo una decina di viaggi per trasportare cocaina a Milano ti puoi permettere una notte di donne e champagne. Ma prima o poi ti arrestano. Tu in carcere e tua moglie a casa da sola con i figli a prendere antidepressivi.

Ma se ad arricchirsi sono in pochi e se la 'ndrangheta è un disvalore, perché riesce ancora ad affascinare tanti giovani?

Un mio collega si è sentito rispondere da un giovane affiliato alla 'ndrangheta: perché mi mancava il senso di appartenenza a qualcosa. È un'affermazione sconcertante che suona come una sconfitta per lo Stato, il quale dovrebbe investire maggiori risorse per promuovere la cultura della legalità.

XI

Il paese dei campanelli

«Qui bisognerebbe sorprendere la gente nel covo dell'inadempienza fiscale, come in America. Ma non soltanto le persone come Mariano Arena; e non soltanto qui in Sicilia. Bisognerebbe, di colpo, piombare sulle banche; mettere mani esperte nella contabilità, generalmente a doppio fondo, delle grandi e delle piccole aziende; revisionare i catasti. E tutte quelle volpi, vecchie e nuove, che stanno a sprecare il loro fiuto dietro le idee politiche o le tendenze o gli incontri dei membri più inquieti di quella grande famiglia che è il regime, e dietro i vicini di casa della famiglia, e dietro i nemici della famiglia, sarebbe meglio si mettessero ad annusare intorno alle ville, le automobili fuori serie, le mogli, le amanti di certi funzionari; e confrontare quei segni di ricchezza agli stipendi, e tirarne il giusto senso. Soltanto così a uomini come don Mariano comincerebbe a mancare il terreno sotto i piedi ... In ogni altro paese del mondo, una evasione fiscale come quella che sto constatando sarebbe duramente punita: qui don Mariano se ne ride, sa che non gli ci vorrà molto per imbrogliare le carte.»[1]

Leonardo Sciascia

Leonardo Sciascia aveva capito tutto agli inizi degli anni Sessanta. E lo ha anche scritto. Per dare fastidio ai mafiosi bisogna colpirli nei loro interessi. Eppure per introdurre la legge sul sequestro e la confisca dei beni illegalmente conseguiti c'è voluta la morte del generale Carlo Alberto dalla Chiesa, della moglie e di un agente di scorta. L'Italia è un paese senza memoria?

Senza memoria e senza verità. Lo diceva lo stesso Sciascia. La lotta alle mafie è sempre stata condotta sullo slancio emotivo di qualche tragedia. La classe politica è intervenuta solo quando non ha potuto farne a meno, quando bisognava reagire all'ennesima strage. Basterebbe un dato: la legge sull'associazione mafiosa è del 1982, il primo grande omicidio politico-mafioso, quello dell'ex direttore del Banco di Sicilia, Emanuele Notarbartolo, è del 1893. Qui la lotta alle mafie non è mai stata un'emergenza e più che la patria del diritto siamo diventati quella del rovescio. Certe volte sembra di vivere nel paese dei campanelli. Possibile che nessuno veda mai niente?

Dacia Maraini ha osservato che l'Italia va «morendo di infiniti morti ... come un Edipo sicuro di sé, il nostro paese sembra brancolare cieco, di fronte al grande tema della responsabilità. Da un delitto sono nati altri delitti, ma già dal primo è mancata la giusta punizione. Il sentimento di giustizia è stato umiliato. La verità è stata negata».[2]

Maraini è una scrittrice straordinaria. Le sue parole mi fanno venire in mente Tiresia che seppur cieco riusciva a vedere tutto. Sosteneva che all'origine della catastrofe vi fosse l'offesa alla verità. Quando la questione criminale coinvolge in modo determinante la responsabilità delle classi dirigenti divenendo il male oscuro dello Stato e della democrazia, il paese finisce per essere attaccato dalla peste, proprio come Tebe.

Non c'è proprio nulla da fare?

Non possiamo arrenderci. È contro la nostra natura. Ci sarebbe tanto da fare, ma nessuno ascolta. Solo i giovani reagiscono. La politica finge, sembra che questo modo di vivere stia bene a tutti. Ogni tanto ci scappa il morto. E poi tutto torna come prima. E a gridare restano solo in pochi, quelli che non si rassegnano, quelli che sono consapevoli che qualcosa ancora si potrebbe fare per sconfiggere la peste.

Certezza della pena e maggiori restrizioni nelle carceri. Sono rimedi importanti, ma possono bastare?

Certo che no! Bisognerebbe seguire i suggerimenti di Sciascia. Mettere il naso negli affari delle cosche, «mani esperte nella contabilità», sequestrare e confiscare i beni illegalmente conseguiti. Cioè migliorare l'attuale legislazione antimafia, non picconarla. Sciascia vedeva là dove tanti si limitano a guardare.

Si riferisce al decreto sulle intercettazioni?

Si sta eliminando uno dei sistemi più garantisti e meno costosi per l'acquisizione della prova. E lo si sta facendo in modo strumentale, citando statistiche che non stanno né in cielo, né in terra. Ho appena finito di indagare cinquanta persone coinvolte in un traffico di droga. Per seguirle ho dovuto mettere sotto controllo diecimila schede telefoniche. Se chi analizza i risultati dell'indagine è onesto, dirà che sono state intercettate cinquanta persone, se è disonesto dirà che Gratteri ha intercettato diecimila persone. La realtà è che i trafficanti di droga cambiano una scheda ogni quarantott'ore, ma gli indagati, nonostante il numero esorbitante di utenze telefoniche, restano sempre cinquanta.

Per restare a Sciascia. Lo scrittore siciliano sosteneva che «i cortei, le tavole rotonde, i dibattiti sulla mafia, in un paese in cui retorica e falsificazioni stanno dietro ogni angolo, servono a dare l'illusione e l'acquietamento di fare qualcosa: e specialmente quando nulla di concreto si fa». È ancora attuale, a tanti anni dalla morte?

Purtroppo sì. Dopo le stragi molti hanno pensato e sperato che l'accresciuta capacità offensiva dello Stato potesse durare a lungo. E invece, dopo l'arresto di Totò Riina, quando Cosa Nostra smise di sparare, i convegni e le chiacchiere hanno ripreso il sopravvento.

La 'ndrangheta come Cosa Nostra contro lo Stato?

No. La 'ndrangheta non si è fatta trascinare dai Corleonesi nello scontro frontale con lo Stato. Agli inizi degli anni Novanta Totò Riina, il boss dei Corleonesi, cercò di coinvolgere la 'ndrangheta nella strategia che aveva messo a punto per gettare l'Italia nel caos. Franco Coco Trovato, calabrese di Marcianise emigrato a Lecco, imparentato con i De Stefano e indagato per traffico di droga dalla magistratura lombarda, scese in Calabria per incontrare i principali boss della regione. Secondo Umile Arcuri, un collaboratore di giustizia che prese parte a quell'incontro, la proposta di organizzare attentati sull'esempio dei Corleonesi non venne accolta. Coco Trovato ci rimase male e Cosa Nostra andò avanti da sola.

Però la 'ndrangheta uccise Antonino Scopelliti?

Fu un omicidio su commissione. E non venne deciso dalla 'ndrangheta. Venne ucciso il 9 agosto 1991 agli ultimi tralimenti della strada che porta a Campo Calabro, in un pomeriggio caldo, senza vento. La 'ndrangheta era in debito con Cosa Nostra che, attraverso i suoi vertici, aveva contribuito a mettere pace tra i clan in guerra, in uno scontro che nella provincia di Reggio Calabria, in meno di quattro anni, aveva causato più di settecento morti.

Chi era Antonino Scopelliti?

Scopelliti era sostituto procuratore generale presso la Corte di cassazione. Aveva i tratti del gentiluomo; era una persona perbene, onesta e colta. Avrebbe dovuto rappresentare l'accusa in cassazione per il maxiprocesso a Cosa Nostra, l'ultima spiaggia per evitare decine di ergastoli. Ricordo che in una requisitoria aveva sostenuto la necessità di garantire «privilegi particolari e maggiore protezione» ai collaboratori di giustizia. Non era ancora entrata in vigore la legislazione premiale, sul modello del programma americano di protezione dei pentiti.

Un rapporto del Bka, datato 2008, avrebbe rilanciato l'ipotesi del coinvolgimento della 'ndrangheta nella strage di via D'Amelio?

Non mi pare che il rapporto faccia riferimento alla strage di via D'Amelio. Ricordo invece che tra le carte dell'operazione «Olimpia» c'era un verbale di interrogatorio rilasciato ad Amsterdam nel quale Giacomo Ubaldo Lauro, arrestato per traffico di droga nel maggio 1992, invitava l'allora capo della Dia, la Direzione investigativa antimafia, Gianni De Gennaro, a «fare presto» perché da lì a poco ci sarebbe stata in Sicilia un'altra strage come quella di Capaci. Lauro aveva detto di averlo appreso da ambienti della 'ndrangheta che operavano in Germania. Secondo ricostruzioni giornalistiche [un'inchiesta di «Calabria Ora»], invece, a svelare al procuratore Borsellino i legami tra 'ndrangheta e Cosa Nostra, sarebbe stato Gioacchino Schembri, un collaboratore di giustizia, originario di Palma di Montechiaro. Nove giorni prima della strage di via D'Amelio, Schembri avrebbe confidato a Borsellino che a Mörfelden-Walldorf, nell'Assia, i siciliani avevano acquisito dalla 'ndrangheta grosse quantità di esplosivo in cambio di cocaina. Personalmente, mi sembra inverosimile. Ritengo che, in quegli anni, Cosa Nostra non avesse bisogno della 'ndrangheta per acquisire grosse quantità di tritolo.

Ma che la 'ndrangheta in quegli anni avesse disponibilità di tritolo, è cosa risaputa.

Noi lo avevamo anche accertato processualmente, ma ritengo che Cosa Nostra non fosse da meno. Ricordo che grazie a un agente sotto copertura siamo riusciti ad acquistare da uomini legati al clan Iamonte di Melito di Porto Salvo cento chili di tritolo e cinque chili di plastico C3 e C4. Il tritolo era stato trovato nella stiva di poppa di una nave [*Laura Couselich*, meglio nota come *Laura C.*] affondata al largo di quelle coste nel 1941. Era diretta in Africa e trasportava, tra l'altro, centinaia di tonnellate di tritolo per uso militare. Venne colpita da due siluri sganciati da un sommergibile britannico. Agli inizi degli anni Novanta quella zona era diventata una specie di supermarket del tritolo. Ancora oggi vi sono tonnellate di esplosivo nascoste che non è stato possibile recuperare.

Restiamo a via D'Amelio. «Io della strage non ne so parlare. Borsellino l'hanno ammazzato loro.» Sono le parole che Totò Riina ha detto tramite il suo avvocato. Che cosa ne pensa?

Riina è una persona furba, non parla mai a casaccio. Sicuramente ha voluto lanciare un messaggio a gente che sa e che ha qualcosa da nascondere. Ci sono molte cose strane in quella vicenda. Molti, per esempio, non riescono a capire la scomparsa della cosiddetta agenda rossa dalla quale Borsellino non si separava mai. Ora c'è questa storia inquietante delle presunte trattative per porre fine allo stragismo dei Corleonesi in cambio della revoca del carcere duro ai detenuti condannati per associazione mafiosa.

Ma lei non ha mai sospettato nulla, non hai mai percepito la presenza di gente attorno a lei che potrebbe aver fatto il doppio gioco, che possa essere definita marcia?

Faccio molta attenzione, non parlo mai delle inchieste in corso con gente che non ha compiti operativi. Qualche volta mi è capitato di notare gente che cercava di capire, di informarsi per poi riferire ad altri l'esito di alcune indagini. Comunque, sono diffidente per natura.

Non è iscritto a nessuna corrente, nessun sindacato in seno alla magistratura. Perché questa scelta?

Aderire a un'associazione o a un'organizzazione può voler dire fare scelte di appartenenza. Io non voglio appartenenze e non ho la vocazione all'obbedienza.

Spesso però si caccia nei guai. Mi riferisco ad alcuni scontri in televisione con ministri e deputati.

Io faccio il magistrato. Non devo entrare in politica e non devo piacere a nessuno. Dico quello che penso e penso quello che dico.

Si è mai sentito solo?

Quello del magistrato è un lavoro solitario. Trascorro molte ore da solo, tra le carte. Ma non mi sono mai sentito solo, soprattutto negli ultimi tempi. C'è tanta gente che crede in me e in chi come me fa quotidianamente il proprio lavoro. È questo uno dei motivi per cui vale la pena andare avanti. Il consenso che sento attorno a me rafforza il mio senso di responsabilità e mi spinge a non mollare mai. Del resto la scelta di campo è stata fatta tanto tempo fa. Da ragazzo volevo fare il magistrato per mettermi al servizio della collettività. Ed è quello che ho fatto.

Un mestiere pieno di difficoltà...

Quello che colpisce non è tanto l'inefficienza di certi governanti, ma l'inerzia e l'assoluta mancanza di indignazione della società civile, che sembra aver paura di svegliarsi da questo rassicurante torpore. La 'ndrangheta raccoglie in sé questa religione della famiglia, espressa chiaramente nei *Malavoglia* di Giovanni Verga, che è sempre stata al centro del modo di essere del calabrese, come del siciliano. Ciò che conta è il legame di sangue, il senso del clan familiare. Come ha scritto, con grande efficacia, Silvia Di Lorenzo, «lo Stato è un Padre nemico e castrato, di fronte alla Madre-mafia fallica e onnipotente, i cui figli non riconoscono il diritto, ma il legame di sangue, non la legge paterna, impersonale e uguale per tutti, ma la fedeltà di stampo materno, ai vincoli personali e familiari».[3]

È psicoanalisi del potere mafioso?

Ferdinand Tönnies distingueva la società mitteleuropea da quella mediterranea, definendo la prima una società di diritto, basata su leggi uguali per tutti (*Gesellschaft*), e la seconda una società di favori e amicizie, una sorta di comunità di tipo familiare (*Gemeinschaft*). La Gesellschaft ha una struttura orizzontale, specifica delle società democratiche di tipo anglosassone, mentre la Gemeinschaft, a struttura verticale, è fortemente gerarchica. L'una ha come principi fondanti la libertà e l'uguaglianza, l'altra il legame e l'appartenenza, radicati nella vita familiare.[4] Chi appartiene alla Gesellschaft mitteleuropea è protetto dalla legge, quindi non ha bisogno di ricorrere agli altri per chiedere aiuto e favori. Nella Gesellschaft la legge è uguale per tutti. Invece i cittadini della Gemeinschaft mediterranea per ottenere giustizia devono coltivare amicizie influenti: fare favori in cambio di favori. In Italia abbiamo trasformato i diritti in favori. Il trionfo del clientelismo.

Dove c'è clientelismo c'è anche corruzione?

Sì, c'è anche corruzione e c'è anche mafia. La corruzione con il suo sistema di selezione sterilizza le migliori potenzialità intellettuali, non premia la meritocrazia, ma privilegia la fedeltà di gruppo. Così la corruzione genera la mafia e con essa alimenta la criminalità delle classi dirigenti del nostro paese.

Può essere più preciso?

Sicilia e Calabria hanno il primato per frodi e irregolarità sui fondi europei destinati all'Italia. Da un monitoraggio effettuato dalla guardia di finanza per queste due regioni è emerso che solo il 25% dei finanziamenti previsti dalla legge 488 è andato a buon fine. Succedeva così anche ai tempi della Cassa per il Mezzogiorno. Venne chiusa nel 1992 perché prosciugava risorse pubbliche senza portare sviluppo al Sud. La legge 488, attraverso il ministero per lo Sviluppo Economico, concede ancora aiuti a fondo perduto alle imprese italiane, quelle che operano nelle zone più depresse. Così anche oggi le imprese nascono e muoiono nel lasso di tempo necessario per completare la pratica e incassare il contributo.

Che ruolo ha la 'ndrangheta in tutto questo?

Spesso utilizza teste di paglia per mettere in piedi società fasulle, potendo contare su una fitta rete di relazioni sul territorio. Molte filiali di banche in Calabria spesso dichiarano la solvibilità dell'imprenditore senza verificarla. Con il sistema delle false dichiarazioni dal 1996 al 2007 sono stati frodati allo Stato e all'Unione Europea circa quattro miliardi di euro, di cui circa 1,2 sono finiti in mano a organizzazioni criminali. L'intreccio tra politici e mafiosi diventa sempre più forte. A Seminara, per esempio, durante un'indagine gli investigatori hanno intercettato una conversazione nella quale un nipote del boss, Rocco Gioffrè, si diceva sicuro dell'elezione a sindaco del candidato Antonio Marafioti, che avrebbe potuto contare su 1050 voti.

Come andò a finire?

La lista sostenuta dalla 'ndrina dei Gioffrè alla fine ha ottenuto 1058 voti, otto in più rispetto a quelli previsti dal nipote del boss di Seminara. Le previsioni della 'ndrangheta si sono rivelate addirittura più precise di quelle degli istituti di sondaggio. In un'altra conversazione si faceva riferimento a uno stampino, presumibilmente un normografo, utilizzato da elettori che non erano in grado di scrivere.

Che cosa si può fare?

Non è più un problema di destra e di sinistra, ma di recuperare senso dello Stato, etica, morale e dignità. La mafia non è un male solo del Sud: esiste una emergenza negata che riguarda tutto il paese.

Il procuratore aggiunto della Direzione nazionale antimafia, Vincenzo Macrì, sostiene che la 'ndrangheta sia una organizzazione policentrica e che la capitale più che a Reggio o San Luca sia a Milano. È d'accordo?

Non mi risulta, comunque ne prendo atto. Parlando di geopolitica della 'ndrangheta, ho sempre creduto nella centralità dei clan reggini. La provincia di Reggio Calabria sembra continuare ad avere l'ultima parola. Come ho già detto, la 'ndrangheta del Nord ha grossi interessi.

Le inchieste della Direzione distrettuale antimafia di Milano, per esempio, hanno confermato un forte interesse della 'ndrangheta nel settore del movimento terra e nell'edilizia in generale. Oggi molti padroncini, proprietari di camion, sono calabresi e gestiscono questo settore senza grande concorrenza. Ma è sempre stato così. La 'ndrangheta, contrariamente a Cosa Nostra, non ha mai investito in Calabria. Da noi sono rimaste solo e sempre le briciole.

La recessione ha conseguenze anche per la 'ndrangheta?

La crisi economica ha esasperato l'infiltrazione della 'ndrangheta, soprattutto nel campo dell'usura e del riciclaggio di denaro sporco. Le aziende in difficoltà hanno bisogno di capitali per sopravvivere. Le organizzazioni mafiose hanno interesse a infiltrarsi in nuovi settori come la ristorazione, il mercato delle auto, gli esercizi commerciali, le aziende di facchinaggio. Alcuni di questi sono più appetibili di altri. Nel 2006 Francesco Mancuso, boss di Limbadi, era riuscito a far indire una riunione dei sindaci della zona di Tropea per far approvare un progetto turistico finanziato dall'Unione Europea. Secondo l'accusa, la 'ndrangheta del Vibonese voleva accaparrarsi tutto quanto potesse rappresentare una fonte di guadagni. E non si accontentava di mettere il naso nel piano regolatore di un comune, ma addirittura voleva imporre a un piano territoriale una sua linea di crescita. In quella stessa indagine si accertò che le cosche della zona si erano presentate alla produzione della fiction Rai «Gente di Mare» imponendo comparse e ruoli più impegnativi per i loro affiliati, con la minaccia che, altrimenti, quella fiction tv, in quelle zone, non sarebbe stata girata.

La 'ndrangheta minaccia, a volte uccide, altre volte compra. È ciò che sostengono anche Elio Veltri e Antonio Laudati nel libro Mafia pulita.

I figli dei mafiosi hanno più dimestichezza con le partite Iva. Occupano posti importanti nella pubblica amministrazione. Come spiegano efficacemente Veltri e Laudati, «la mafia pulita è entrata prepotentemente nel mercato e nella società imponendo nuovi modelli di organizzazione sociale. Non sarà facile stroncarla, la globalizzazione del crimine più che una rivoluzione è un golpe strisciante».[5]

Sul riciclaggio del denaro sporco, però, manca un serio monitoraggio. La legge 197 del 1991, quella che impone alle banche, alle agenzie postali, agli intermediari finanziari, a professionisti come notai e avvocati e alle pubbliche amministrazioni l'obbligo di segnalare operazioni finanziarie sospette, si è rivelata un flop, soprattutto in Calabria. Come mai?

Nel 2008 ci sono state 7166 segnalazioni trasmesse alla Direzione investigativa antimafia dall'Ufficio italiano cambi, di cui il 52,4% provenienti dalle regioni del Nord, il 25,9% da quelle del Centro e il 31,3% da quelle del Sud. In Calabria le segnalazioni che hanno richiesto un approfondimento investigativo sono state 226, di cui solo 75 attribuibili alla 'ndrangheta. E, se si continua di questo passo, sarà ancora peggio. Purtroppo, le banche, le agenzie postali, gli intermediari finanziari, i notai, gli avvocati e i dirigenti delle pubbliche amministrazioni non collaborano per timore di perdere i clienti. Ci sono anche quelli che non collaborano per paura di ritorsioni, ma non riusciremo mai a saperlo, se coloro che dovrebbero segnalare i casi sospetti non vengono a loro volta controllati e puniti per le loro inadempienze. È un vezzo italiano. Si fanno le leggi e poi non si applicano.

Come possiamo definire oggi la 'ndrangheta?

Un'organizzazione duttile e rigida allo stesso tempo, fedele alla tradizione, ma sensibile alle novità, con grandi entrature nel mondo degli affari e della politica. Ma è anche l'organizzazione più cruda, più dura che si conosca, qualcosa che distrugge i principi della democrazia e del libero mercato. Quella meno permeabile perché il fenomeno del pentitismo è quasi pari a zero. Dati alla mano, al 31 luglio 2009, nel servizio di protezione dei collaboratori di giustizia c'erano 252 ex mafiosi e 328 ex camorristi. Quelli riconducibili alla 'ndrangheta erano 97 e solo due avevano avuto un ruolo medio-alto.

È possibile calcolare il numero degli affiliati?

In Calabria ci sono circa 170 locali di 'ndrangheta e ci sono locali che hanno circa 1500 affiliati a testa. Se dovessi fare un calcolo, direi che nella sola provincia di Reggio Calabria gli affiliati sono più di diecimila. Ci sono poi locali di 'ndrangheta in Puglia, Basilicata, Lazio, Toscana, Emilia Romagna, Veneto, Lombardia, Piemonte e Liguria, ma anche in quasi tutti i paesi europei e in tutti i continenti abitati.

Dopo la seconda guerra di mafia, che in sei anni, tra il 1985 e il 1991, ha causato più di settecento morti, la 'ndrangheta ha introdotto i mandamenti sul modello di Cosa Nostra e ha creato una sorta di commissione provinciale per evitare conflitti sanguinosi e inutili, ma anche per gestire meglio il traffico di droga e le altre lucrose attività che hanno fatto della 'ndrangheta la mafia più ricca e più potente. Che potere ha questo nuovo organismo?

Non è una cupola come quella di Cosa Nostra. Nella 'ndrangheta non c'è mai stato un Totò Riina o un Bernardo Provenzano. I locali di 'ndrangheta restano sovrani sui rispettivi territori e questo nuovo organismo, che noi abbiamo scoperto per caso intercettando una conversazione tra due 'ndranghetisti, ha più funzioni di raccordo che di comando. A limitare il peso della commissione provinciale sono i piccoli clan, gelosi della loro autonomia.

Qual è oggi il fatturato della 'ndrangheta?

Secondo l'Eurispes, le 'ndrine oggi avrebbero un fatturato di 44 miliardi di euro, pari al 2,9% del Prodotto interno lordo. A questo bisogna aggiungere i profitti maturati dal riciclaggio di denaro sporco. La droga, nel fatturato della 'ndrangheta, incide nella misura del 62%, con un ricavo stimato di 27.240 milioni di euro all'anno, cioè il 55% in più rispetto a quello della Finmeccanica, il gigante dell'industria italiana.

Oltre al traffico di droga, quali sono le altre attività gestite dalla 'ndrangheta?

L'usura è una grossa fonte di reddito, pari a cinque miliardi di euro l'anno, e rappresenta il mezzo più rozzo, ma anche il più efficace, per riciclare il denaro sporco. Fino a vent'anni fa era disonorevole fare gli strozzini. Oggi le famiglie della 'ndrangheta si sono sostituite alle banche che, in Calabria, difficilmente concedono prestiti e, quindi, le 'ndrine assoggettano gli imprenditori a folli tassi d'usura per poi costringerli a vendere la propria attività.

Come si entra nella 'ndrangheta?

In due modi: per sangue e per meriti. Il vincolo di sangue resta il mezzo più sicuro e più spontaneo, la cooptazione passa invece attraverso un processo attento di studio. I giovani meritevoli vengono seguiti e messi alla prova. Dopo un anno di tirocinio, come «contrasti onorati», possono entrare a far parte dell'organizzazione, attraverso uno speciale rito di iniziazione che si tramanda dalla seconda metà dell'Ottocento.

C'è chi sostiene che il giuramento sia ormai in disuso.

Tutt'altro, ha la sua validità. E ne riscontriamo continuamente l'efficacia. Mentre noi parliamo c'è gente che, da qualche parte, sta giurando fedeltà alla 'ndrangheta.

C'è differenza tra le 'ndrine della Locride e quelle del resto della provincia di Reggio Calabria?

Quelle della Locride sono più feroci, più dure, più addentrate nel traffico internazionale di droga. Quelle del versante tirrenico gravitano attorno al porto di Gioia Tauro con i suoi tre milioni di container all'anno e hanno più dimestichezza con i commerci. Quelle di Reggio Calabria, invece, hanno più contatti con la cosiddetta zona grigia, quella dei colletti bianchi, e sono più ammanicati nella pubblica amministrazione.

C'è contrapposizione tra i clan ionici e quelli tirrenici?

Numerose indagini hanno confermato i loro ottimi rapporti a livello locale e internazionale. Le alleanze strategiche funzionali al traffico di droga costituiscono una prassi consolidata. A parte qualche faida, gli equilibri, seppur fragili, reggono. I Piromalli, dopo la rottura con i Molè, hanno stretto alleanza con gli Alvaro di Sinopoli.

Come dovrebbe comportarsi la politica, di fronte a una realtà come quella rappresentata dalla 'ndrangheta?

Dovrebbe calarsi nella realtà, senza più sporcarsi le mani. Proporre riforme normative che vadano oltre la logica dell'emergenza e la schizofrenia dell'emotività.

Le mafie tendono sempre più a globalizzarsi. Non pensa che bisognerebbe concertare anche l'azione di contrasto a livello internazionale?

Sono d'accordo. Bisognerebbe creare uno spazio giuridico antimafia, uno spazio sovranazionale per la lotta ai santuari mafiosi e ai paradisi fiscali. Queste attività hanno sempre più un respiro internazionale. Abbiamo a che fare con mafie globalizzate, anche le antimafie devono fare rete. Il denaro che sfugge ai governi attraverso le forme illecite del riciclaggio è enorme e forse da solo basterebbe a riequilibrare i numeri della crisi economica che attanaglia il mondo.

Qualcosa sta cambiando?

Il G20 ha cominciato ad affrontare il nodo dei paradisi fiscali. Paesi come Liechtenstein, Andorra, Principato di Monaco e tutti gli altri paesi offshore esistenti nel mondo dovrebbero essere posti sotto una forma di controllo internazionale che nasca da una volontà politica più che da un'azione di intelligence investigativa. Segnali positivi su altri fronti cominciano a notarsi anche in Europa.

Dove?

La Germania, per esempio, ha cominciato finalmente a prendere consapevolezza del problema. Finora aveva completamente ignorato le analisi del Bka e della intelligence italiana. Forse perché i soldi delle mafie sono servite alla ricostruzione della Germania dell'Est. Ma nessuno lo vuole ammettere. Io, per esempio, ricordo una intercettazione. Stavamo indagando su un broker legato ai clan più potenti della 'ndrangheta. All'indomani della caduta del muro di Berlino ricevette una telefonata. L'ordine fu quello di comprare tutto. Per decenni, in Germania hanno fatto finta di non vedere. Quando le mafie investivano nella ricostruzione della Germania dell'Est non davano fastidio a nessuno. Poi quando hanno cominciato a sparare sono diventate un problema. Nel 2008 l'autorità giudiziaria tedesca rigettò la richiesta di sequestro del ristorante-pizzeria Da Bruno, a Duisburg, davanti al quale nel ferragosto del 2007 furono assassinate sei persone. La nostra richiesta era incompatibile con il loro codice penale. Ora finalmente si sono ricreduti e, recentemente, hanno introdotto una legge che garantisce il principio del reciproco riconoscimento in materia di sequestro e confisca dei beni illegalmente conseguiti. In questo modo sarà possibile aggredire anche in Germania i capitali mafiosi. Ma ci sono ancora tanti altri problemi da risolvere.

Quali? Mi faccia qualche esempio.

In Olanda, dove esiste un'ipotesi di reato associativo, contrariamente agli altri paesi europei, non è possibile effettuare il ritardato arresto. Mi spiego meglio. Se la polizia viene a sapere della presenza di un determinato quantitativo di droga (ma non per uso personale) in un'abitazione, deve intervenire immediatamente, anche a costo di pregiudicare un'inchiesta che avrebbe potuto consentire risultati più importanti, come il sequestro di un container stipato di tonnellate di droga. In Spagna, invece, non sono ammessi blitz e perquisizioni notturne. Per entrare nell'abitazione di un sospetto bisogna aspettare l'alba. Poi c'è il problema dei colletti bianchi, anche se questo è un problema comune. Mentre sul fronte dell'ala militare delle mafie abbiamo strumenti per intervenire, quando si sconfina nel terreno dei commercialisti compiacenti, dei faccendieri senza scrupoli e degli avvocati avidi di potere e di denaro, troviamo spesso delle porte chiuse a norma di legge.

E con il nuovo decreto sulle intercettazioni sarà ancora peggio?

Se si conosce l'indagato è possibile configurare sin dall'inizio l'associazione mafiosa. Ma non tutti gli indagati sono pregiudicati. Spesso ci sono delle persone insospettabili, proprio i colletti bianchi di cui stavamo parlando, che costituiscono la faccia più nascosta e occulta del sistema di potere mafioso. Nei loro confronti bisogna configurare altre ipotesi di reato, quelle che rientrano nelle restrizioni della nuova legge.

Sembra che a lei il decreto sulle intercettazioni non piaccia proprio.

Sembra essere stato concepito da persone che non hanno mai fatto un'indagine. Il testo del Ddl di riforma delle intercettazioni è peggiorato, nonostante l'ampliamento della lista dei reati per i quali l'intercettazione può essere autorizzata. Le faccio qualche esempio. Non ha senso parlare di «gravi indizi di colpevolezza» a carico dell'indagato quale condizione per l'intercettazione. Se ci sono gravi indizi di colpevolezza, che bisogno c'è di intercettarlo, quando lo si può già arrestare? I gravi indizi di colpevolezza rappresentano un grado di prova che abilita il pubblico ministero a chiedere la cattura di un indagato. Lo stesso periodo massimo di durata delle intercettazioni scende, proroghe comprese, da tre a due mesi. Se la fase preparatoria di un reato dura qualche giorno in più, bisogna fermarsi. Poi ci sono modifiche che se non fossero tragiche ci aiuterebbero a ritrovare il buonumore. Penso alle intercettazioni che possono essere fatte solo nei luoghi dove è in corso l'attività criminosa, come se ci fossero ambiti definiti, come quelli che esistevano nelle case dei greci, dove c'era l'androceo, riservato ai soli uomini, e il gineceo, destinato alle donne. Ma penso anche alla storia dei budget prefissati. Cioè le procure dovranno stabilire in anticipo quanti soldi bisogna destinare alle intercettazioni. Esaurito il budget, non si potrà più intercettare nessuno. L'idea infine di dover avvisare il presidente del Consiglio, entro cinque giorni, dell'inizio delle operazioni di intercettazione nei confronti di soggetti appartenenti ai servizi di informazione, la dice lunga sulle ragioni di questo Ddl. Che senso ha informare qualcuno dell'esistenza di un'indagine che, come tutte le indagini, è utile solo se segreta? È strano questo modo di pensare. Contro i clandestini vengono impiegati esercito, flotta e ronde. Contro i mafiosi viene smantellato uno dei pochi strumenti investigativi ancora in mano ai magistrati. Potrei fare un elenco interminabile dei casi risolti grazie alle intercettazioni, quanta droga abbiamo sequestrato grazie a questo insostituibile strumento di indagine, fonte di certezze processuali. Nessuno nega che vi sia il problema di impedire l'uso processuale e più ancora la divulgazione delle intercettazioni relative a soggetti, fatti o circostanze che sono estranei all'oggetto del processo. Al riguardo il progetto di riforma fissa dei paletti rigorosi e merita approvazione. Ma al di là di questo perimetro le potenzialità investigative delle intercettazioni vanno garantite, nell'interesse dei cittadini comuni. Bisogna intervenire sull'indebita pubblicazione di intercettazioni irrilevanti ai fini di giustizia, non sull'uso delle intercettazioni. Siamo al paradosso.

Non salva niente altro?

C'è poco da salvare. Mi creda. Del tutto irrazionale è anche la completa equiparazione, sul piano dei requisiti, tra le intercettazioni telefoniche e l'acquisizione dei tabulati delle comunicazioni o l'effettuazione delle riprese visive in luoghi pubblici. Si tratta, com'è noto, di strumenti di indagine di grande utilità investigativa, ma che non possono essere parificati alle intercettazioni, in quanto la loro invasività nella sfera privata delle persone è decisamente inferiore. È paradossale che un privato possa effettuare, in ogni caso e senza limiti, riprese visive in locali pubblici, come banche, uffici postali o esercizi commerciali, mentre le forze dell'ordine e la magistratura potranno farlo solo quando l'autore del fatto è già stato individuato, e per soli sessanta giorni. Poi c'è un altro aspetto.

Quale?

Le intercettazioni sono il mezzo più economico per pedinare gli indagati, attraverso le «celle» dei telefonini. Ventiquattro ore di monitoraggio costano solo dodici euro più Iva. L'alternativa è quella molto dispendiosa dell'utilizzo di tre-quattro pattuglie costrette a inseguire l'indagato, spostandosi da una città all'altra, con il rischio di essere individuati e con grosso dispendio di risorse finanziarie, tra salari, straordinari e carburante.

C'è qualcosa che condivide delle ultime misure adottate per combattere le mafie?

Qualcosa c'è. L'abolizione del concordato in appello è un passo nella giusta direzione. Positivo è anche il tentativo di restituire spessore e contenuto al 41 bis, il carcere duro. È opportuno comunque riaprire le carceri sulle isole e costruire vetri divisori nelle sale addette al colloquio tra mafiosi e familiari, garantendo la possibilità di registrarne le conversazioni. I detenuti oggi trascorrono il tempo a pensare come inviare messaggi ai familiari senza essere intercettati e a ricevere notizie su quello che succede fuori dal carcere. Teniamoli impegnati, facendoli lavorare, come si fa nelle comunità terapeutiche. Si annoieranno di meno. Le maglie del carcere duro, negli ultimi tempi, si sono allargate. E molti mafiosi che meritavano di stare isolati sono tornati a un regime di detenzione comune. Al 20 aprile 2007 il numero dei decreti ministeriali annullati dalla magistratura di sorveglianza sono passati dai 29 del 2001 agli 89 del 2006. Nel contempo sono diminuiti i decreti di applicazione, dai 151 del 2001 ai 70 del 2006. I detenuti sottoposti al carcere duro sono passati dai 645 del 2001 ai 562 del 2006. Alla fine di gennaio del 2007 i detenuti sottoposti al regime differenziato sono passati a 455.

E allora che cosa bisognerebbe fare?

Intanto, bisognerebbe partire da una legge che eviti la parcellizzazione della lotta alle mafie, con un approccio più freddo, più razionale. Se si vuole arginare il fenomeno mafioso, ci vuole un impegno a 360 gradi: bisogna cambiare il codice di procedura penale e l'ordinamento penitenziario, ovviamente nel rispetto della Costituzione. Se si dimostra che Gratteri è il capomafia di un paese, gli si danno trent'anni di reclusione, si riaprono le carceri di Gorgona, Pianosa e Favignana e lo si manda lì. Le condanne servirebbero da monito, soprattutto per i giovani. Come ho già detto, il rito abbreviato, che è stato concepito per snellire i processi, in realtà è uno strumento che non aiuta la lotta alla criminalità organizzata. Se dieci imputati su trenta scelgono il rito ordinario, il giudice dovrà giudicarli ripercorrendo la posizione processuale degli altri venti che hanno optato per il rito abbreviato. E allora dov'è il risparmio di tempo? In questo modo si viene a perdere l'utilità del rito abbreviato, nato proprio per rendere la giustizia penale più celere. Il Sud viene spremuto in periodo elettorale e poi chi ha fatto le promesse sparisce. Lo Stato, inteso come ministero della Giustizia e degli Interni, si muove solo dopo che la criminalità organizzata è da tre-quattro giorni sulle prime pagine dei giornali. Si pensa che il problema esista solo quando c'è il morto ammazzato per terra, mentre è esattamente il contrario. Le mafie ingrassano quando tutto sembra filare liscio. Ma quando tutto è tranquillo la politica non percepisce il pericolo. In questo modo viene meno la fiducia nelle istituzioni.

Succede la stessa cosa con la giustizia civile. Con i processi che durano un'eternità, si rischia di allargare gli spazi della contrattazione mafiosa.

Là bisognerebbe intervenire, per snellire le procedure ed evitare che la gente si comprometta con i mafiosi, sempre più spesso chiamati a dirimere questo tipo di controversie. Purtroppo in Calabria, come in altre regioni del Mezzogiorno, la fiducia nello Stato viene sempre meno. In alcuni paesi il mafioso è tutto. Amministra la giustizia nel nome della violenza e offre servizi che lo Stato non è in grado di garantire. Se oggi uno in Calabria si rivolge a un tribunale della Repubblica per ottenere lo sfratto di un inquilino che non paga l'affitto o per risolvere una questione di confini su un fondo rustico con un vicino, se gli va bene ottiene una risposta dopo dieci-quindici anni. Se deve ricoverare la madre all'ospedale e non ha qualcuno che lo raccomandi si vedrà costretto ad aspettare per ore nella corsia del pronto soccorso. Se invece si rivolge al boss del paese, il locatario che non paga sarà allontanato, il vicino che non rispetta i confini sarà messo a posto, il primario correrà a prendere la madre per assegnarle un letto. Questa è la vergogna nella quale ancora oggi centinaia di migliaia di persone sono costrette a vivere.

Ma perché i processi durano così tanto?

Perché gli organici sono quelli che sono e il sistema giudiziario nel suo insieme andrebbe modernizzato. Vorrei capire perché, nel 2009, ancora dobbiamo fare le notifiche agli avvocati con l'ufficiale giudiziario e non possiamo farle via e-mail. Sarebbe sufficiente obbligare tutti gli iscritti al Consiglio dell'ordine degli avvocati di dotarsi di un indirizzo di posta elettronica, per poter effettuare le notifiche. I difensori, dal canto loro, potrebbero inoltrare alle cancellerie dei pm o dei giudici le istanze o le memorie e ricevere i pareri o i provvedimenti, sempre via e-mail. Immaginate il risparmio di tempo e di denaro. In un quarto d'ora notificheremmo a cinquanta avvocati ciò che altrimenti, oggi, richiede due settimane di lavoro con due o tre ufficiali di polizia giudiziaria in giro per l'Italia. Per fare un esempio, ci vogliono almeno tre mesi per l'inutile avviso di fine indagine (articolo 415 bis del codice di procedura penale), che serve a informare l'avvocato e l'indagato che l'indagine è finita e che quindi può recarsi in cancelleria a consultare gli atti. Possiamo facilmente immaginare quanto tempo e denaro si risparmierebbero con una modifica di questo genere. E gli agenti della polizia giudiziaria potrebbero finalmente dedicarsi a fare indagini invece che fare i messi notificatori.

Torniamo alle misure antimafia. Come giudica la scelta di Confindustria di espellere gli imprenditori che non denunciano il pizzo? Può rappresentare una svolta nella battaglia per la legalità?

Per garantire il risarcimento dei danni agli imprenditori che si rifiutano di pagare il pizzo c'è voluta la morte di Libero Grassi. Da allora sono nate tante associazioni che si battono per denunciare il fenomeno dell'estorsione che in Italia ha raggiunto livelli allarmanti. Mi viene in mente la serrata dei commercianti di Lamezia Terme, un'iniziativa importante che va incoraggiata e sostenuta. Ma non basta, bisogna porre mano alle riforme normative. E non mi stancherò di ripeterlo. Per l'usura, che è la seconda attività della 'ndrangheta, la pena prevista fino a pochi anni fa andava da uno a sei anni. Oggi, dopo tanto discutere, è stata leggermente aumentata e va dai due ai dieci anni. Al netto del rito abbreviato e di altri benefici di legge, un usuraio viene condannato mediamente a tre o quattro anni di carcere. In realtà starà dietro le sbarre solo qualche mese, al massimo un anno, in attesa dell'udienza preliminare, perché poi con una condanna a tre anni gli verranno subito concessi gli arresti domiciliari. E allora dove speriamo di trovare le vittime di usura che abbiano il coraggio di denunciare? Ho la spiacevole sensazione che ogniqualvolta si faccia qualcosa di buono, ci sia sempre qualcuno che voglia tornare indietro.

La costruzione del ponte sullo Stretto potrebbe far saltare i fragili equilibri che regolano i rapporti tra i vari clan della provincia di Reggio Calabria? Come sono i rapporti delle 'ndrine con Cosa Nostra?

I rapporti sono ottimi, e d'altronde non è mai accaduto che 'ndrangheta e Cosa Nostra si siano fatte la guerra tra di loro; né accadrà adesso, perché non c'è motivo alcuno per farla. Quando nel 1984 il governo sembrava intenzionato ad avviare i lavori per il ponte, scoppiò una guerra tra i De Stefano e gli Imerti-Condello per il controllo dei terreni sui quali si sarebbe dovuta costruire la campata calabrese. Oggi sulle due sponde dello Stretto le armi tacciono, pur essendo gli equilibri interni alle due organizzazioni criminali tutt'altro che stabili. Se i lavori si faranno nell'immediato futuro saranno realizzati nel massimo della collaborazione intermafiosa, come aveva anche sottolineato un faccendiere legato a una famiglia mafiosa canadese che, in una intercettazione, ha detto: per fare il ponte bisogna accontentare tutti, quelli di qua e quelli di là, la 'ndrangheta e Cosa Nostra. Oggi il problema più importante è quello della prevenzione, che non significa soltanto più carabinieri o più poliziotti, anche se un adeguamento degli organici, compreso quello dei magistrati, non guasterebbe. Significa soprattutto monitorare i passaggi di proprietà dei terreni e delle imprese, ma anche elaborare una strategia più aggressiva nell'espropriazione dei beni in mano ai mafiosi. Se non si colpisce l'economia mafiosa, non si intacca il potere, il prestigio, la forza degli uomini delle cosche. E allora, se non si affronta di petto questa situazione, il ponte non sarà un'occasione di sviluppo per il Sud, ma l'ennesima occasione per ingrassare 'ndrangheta e Cosa Nostra.

Lei parla di confisca dei beni. Prendiamo in esame alcuni dati aggiornati al 2008. In Piemonte i beni confiscati sono stati 102, in Lombardia 610, in Liguria 26, in Trentino 15, in Veneto 72, in Friuli 14, in Emilia Romagna 64, in Toscana 28, nel Lazio 328, in Abruzzo 25, nelle Marche 1, in Molise 2, in Campania 1259, in Calabria 1202, in Basilicata 11, in Puglia 666, in Sicilia 3930 e in Sardegna 84. Da una indagine del Raggruppamento operativo speciale dei carabinieri è emerso che molti dei beni confiscati in Calabria erano rimasti in mano alle famiglie mafiose. Non le sembra un controsenso?

Faccio una premessa: noi alla 'ndrangheta finora abbiamo confiscato solo le briciole. Degli 8446 beni confiscati alle mafie negli ultimi venticinque anni, 1202 si trovano in Calabria e spesso non sono rintracciabili. Esagero se dico che è vergognoso per tutti noi questo stato di cose? È evidente che per intensificare la lotta serve anche una legislazione che faciliti il lavoro degli inquirenti, anche perché negli ultimi anni le strategie dei clan sono cambiate e individuare la proprietà di un bene è diventato davvero difficile.

Che cosa bisognerebbe fare?

Bisognerebbe affidare i beni confiscati a un ente unico come quello che adesso in Calabria gestisce gli appalti. Non si possono affidare ai sindaci che spesso sono soggetti al condizionamento mafioso del territorio in cui operano. Sarebbe auspicabile, come d'altronde richiede da anni Libera, l'associazione antimafia guidata da don Luigi Ciotti, l'istituzione di un'agenzia nazionale che affianchi la magistratura nella gestione e nella destinazione dei beni confiscati alle mafie.

Il governatore della Banca d'Italia, Mario Draghi, ha rilevato che l'esistenza di varchi nella disciplina e nell'apparato di controllo dei diversi paesi permette agli operatori illegali arbitraggi regolamentari su scala internazionale. In sostanza, i colletti bianchi operano nei posti dove c'è meno controllo. Non crede che l'efficacia dell'azione di prevenzione e contrasto possa essere ridotta dall'interessata tolleranza di alcuni Stati e dall'opacità di alcuni centri offshore? In poche parole, il problema non è più locale, della Calabria, della Sicilia, della Campania, ma di tutta l'Italia, di tutta l'Europa e di tutto il mondo.

Sono d'accordo. Ecco perché capisco sempre meno l'atteggiamento della classe politica. Prima, quando si pensava che il problema fosse legato al sottosviluppo del Mezzogiorno, lo capivo di più. Adesso un po' di meno. Ormai le mafie hanno aggredito ogni lembo del territorio nazionale, in quasi tutte le regioni italiane ci sono uomini o aziende legate alla 'ndrangheta. E la stessa cosa può dirsi per l'Europa e per il resto del mondo. La Comunità Europea dovrebbe farsi carico di questo problema. L'omologazione dei codici è un passaggio obbligato per combattere le mafie che si muovono con sempre maggiore facilità in Europa e nel mondo.

Qualche inchiesta in particolare l'ha aiutata a capire i meccanismi di riciclaggio del denaro sporco?

A spiegarmi le dinamiche di questo importante aspetto della criminalità mafiosa fu Claudio Boscaro, un faccendiere svizzero che ripuliva milioni di euro incassati con la vendita di colossali partite di cocaina ed eroina da Santo Maesano, boss di Roghudi arrestato a Palma di Maiorca, in Spagna, nel 2004. Gli incontri con Maesano avvenivano all'Hard Rock Cafe all'angolo di Plaza de Colón, a Madrid. Parlandomi di Maesano, Boscaro mi disse che aveva dei grossi possedimenti in Calabria e che aveva usufruito, tramite contatti politici, di sovvenzioni regionali, statali e comunitarie. L'obiettivo di Maesano era quello di aprire conti bancari in Svizzera e in Canada, ma anche mettere le mani su grossi appalti industriali per la realizzazione di linee elettriche in Africa. Si cominciò con cinquanta milioni di lire, poi le somme aumentarono. Mi confermò Boscaro che in una occasione gli vennero consegnati a Milano sei miliardi di lire in contanti, per un totale di quarantacinque-cinquanta miliardi in poco tempo. Boscaro gestiva i conti bancari e i depositi da cui partivano i bonifici bancari, verso istituti di credito brasiliani, che servivano a pagare la cocaina ai trafficanti centroamericani. Lui si tratteneva il 4% mentre il costo del trasporto incideva dell'1%. Un'altra commissione, anch'essa dell'1%, veniva trattenuta a favore delle banche compiacenti. Gli investimenti spaziavano dal settore immobiliare all'acquisto di pietre preziose, con ramificazioni in mezzo mondo, dall'Africa al Brasile. Spesso però basta solo girare l'angolo: in Italia ci sono venticinquemila money transfer, punti di raccolta di denaro, dei quali circa ottomila illegali. Questi punti di raccolta si trovano anche presso tabaccai, internet point e phone center. Molte inchieste ci segnalano questo nuovo sistema che, sempre più, viene utilizzato per trasferire denaro da una parte all'altra del mondo. Ci sarebbe tanto da fare, dall'anagrafe dei conti correnti e dei depositi, all'applicazione della legge sul trasferimento delle proprietà immobiliari. E invece perdiamo tempo ad attaccare le intercettazioni.

Come fa la 'ndrangheta a infiltrarsi in luoghi e comunità così diverse dalla Calabria?

Ci sono uomini-cerniera che, soprattutto al Centronord, mettono in contatto i due mondi. Quello delle 'ndrine e quello dell'economia legale. Hanno contatti con la politica, le banche, il mondo dell'imprenditoria. Potremmo definirli faccendieri, ma forse è riduttivo. Se il riciclaggio di denaro sporco è il lato oscuro della globalizzazione, gli uomini-cerniera rappresentano la faccia pulita delle mafie.

Un altro problema riguarda i testimoni di giustizia. Mi sembra che l'atteggiamento dello Stato sia quello di utilizzarli e poi gettarli.

È un comportamento assurdo. Certi testimoni dopo la denuncia sono costretti a lasciare la propria terra. Chi denuncia dovrebbe essere messo nella condizione di rimanere nella propria casa, nel proprio paese, tra la propria gente. Ecco perché ritengo che le pene debbano essere proporzionate al reato, altrimenti avremo sempre meno testimoni e sempre più mafiosi che si faranno beffe della giustizia.

Sono diminuiti i pentiti, o meglio i collaboratori di giustizia?

Con la nuova legge, il collaboratore deve dire tutto e subito. Deve stare in carcere e può subire fino a sedici anni di reclusione per il reato di calunnia. Sono venuti meno gli incentivi che avevano spinto molti a collaborare. Gli assassini, grazie al rito abbreviato, hanno paradossalmente più benefici di quelli assegnati ai collaboratori di giustizia dalla legislazione premiale. Di questo passo non ci saranno più collaboratori di giustizia.

Qual è il suo giudizio sui collaboratori di giustizia?

Il loro contributo è stato importante, soprattutto nella lotta a Cosa Nostra.

Sempre in tema di azione di contrasto, non crede che ci siano troppe forze di polizia concentrate sullo stesso fronte?

Avere più investigatori, da una parte fa aumentare i costi, dall'altra crea virtuosa concorrenza tra le diverse forze dell'ordine. E questa porta spesso risultati notevoli, grazie soprattutto a uomini e donne che danno l'anima senza nemmeno ricevere un'adeguata contropartita economica. Bisognerebbe distribuire meglio il lavoro. Sul mare potrebbe essere più opportuno affidarsi alla guardia costiera, rinunciando alle flotte che oggi sono in dotazione ai carabinieri, alla guardia di finanza e alla polizia. Più del 70% del budget delle Fiamme Gialle viene speso nella manutenzione e nella gestione di navi e aerei. Un uso migliore delle risorse potrebbe venire dallo scioglimento della Dia, che oggi svolge gli stessi compiti del Gico, il Gruppo d'investigazione criminalità organizzata, dello Sco, il Servizio centrale operativo, del Ros, delle squadre mobili e dei comandi provinciali. Nei primi anni la Dia svolse un ruolo importantissimo nella gestione dei collaboratori di giustizia. Oggi si occupa di misure patrimoniali, pur non avendo contatti diretti con il territorio.

La lotta alle mafie in Italia è uno di quei gomitoli di cui si è perso il capo.

Si è perso? O si è voluto perdere? La verità è che lo Stato viene visto da molta gente come un'entità lontana, ininfluente. Il problema, purtroppo, è che, in molti casi, sembra essere proprio così. Spesso ripenso alla bella frase di Thomas Friedman: Internet ha dato a tutti la possibilità di parlare, ma non quella di capire. Si sta per approvare una legge spaventosa che costruirà attorno alle mafie una diga di silenzio con il pretesto della «privacy», e importa a pochissimi. Quanti si sono accorti che le mafie da qualche tempo hanno smesso di sparare? Ci si è chiesto perché? La risposta è semplice. Forse perché non hanno più bisogno di farlo.

È così difficile estirpare le radici?

Sì, soprattutto quando si continuano a potare solo i rami.

Qual è la sua preoccupazione oggi?

Quella di non poter svolgere le funzioni inquirenti con strumenti adeguati alla complessità del fenomeno mafioso che siamo chiamati a contrastare. Purtroppo certi politici sono come gli scogli.

Sarebbe a dire?

«L'acqua li bagna e il sole li asciuga.» Molti ancora non hanno capito che la forza delle mafie è direttamente proporzionale alla debolezza della politica.

Qual è il suo primo pensiero, quando si sveglia?

Quello di potermi guardare allo specchio, senza avere nulla da rimproverarmi.

E l'ultimo?

Addormentarmi con la coscienza a posto.

Le capita spesso di mettere in dubbio le sue certezze?

Per citare Bertolt Brecht: «Di tutte le cose sicure la più certa è il dubbio».

Esiste la Giustizia?

Hans Kelsen, un grande giurista, diceva che il singolo non può raggiungere mai la felicità individuale perché l'unica felicità possibile è quella collettiva. La felicità sociale si chiama giustizia, che non è qualcosa di già dato, ma qualcosa che bisogna costruire giorno per giorno. Questa tensione verso la giustizia caratterizza tutta la vicenda umana, senza questa idea di giustizia non può esistere la libertà, non può esistere la felicità, non può esistere il progresso.

Chiudo con una riflessione. Ogni volta che torno in Calabria non c'è, per me, spettacolo più straziante e incomprensibile che vedere lo scempio che il potere pubblico e il potere criminale hanno fatto di questa terra stupenda. Dall'abusivismo edilizio alla contaminazione di tratti di mare con sostanze nocive. Se questi mammasantissima pieni di soldi avessero avuto rispetto, loro che tanto farneticano di rispetto, della propria casa, come imparano a fare facilmente persino i cani che non sporcano la propria cuccia, la Calabria, almeno, oggi sarebbe meno povera e più sicura. Invece tutto è usurato. La lotta alla 'ndrangheta, la vita di quei pochi magistrati come lei che la combattono, la presenza dello Stato, la speranza, i sogni.

Non bisogna mai perdere la forza di combattere e di resistere. Ce la possiamo ancora fare, soprattutto se cominciamo a mettere seriamente in discussione l'antimafia parolaia, quella del giorno dopo. È il momento di fare, come ci ricorda spesso don Luigi Ciotti.

Auguri.

Anche a lei.

Note

Introduzione

[1] Enrico Morselli, Santo De Sanctis, *Biografia di un bandito. Giuseppe Musolino di fronte alla psichiatria e alla sociologia*, Milano, Treves, 1903, p. 181.

[2] Nel 1899 il boss di Gioia Tauro, Francesco Albanese, aveva scelto la strada della collaborazione, dando vita con le sue confessioni a uno dei primi maxiprocessi con 225 imputati.

[3] Nel rapporto si legge testualmente: «... il bandito [Giuseppe Musolino] ebbe bisogno di convocare i capi delle varie sezioni della "Picciotteria" di parecchi comuni, delle quali egli, com'è noto, è il capo supremo, e ne tenne una riunione alla Madonna di Polsi, verso la fine del giugno u.s.». (Archivio di Stato di Reggio Calabria, Inv. 34. Busta 59, fascicolo 871.)

I. *Gli inizi*

[1] Curzio Maltese, *La pax della 'ndrangheta soffoca Reggio Calabria*, in «la Repubblica», 25 aprile 2007.

[2] Enzo Ciconte, *Storia criminale*, Soveria Mannelli, Universale Rubattino, 2008, p. 29.

[3] Cosimo Ratti, *Dell'amministrazione della giustizia nell'anno 1873. Relazione del 10 gennaio 1874*, Catanzaro, Tipografia dell'orfanotrofio, 1874, pp. 37-38. Cfr. anche Enzo Ciconte, *'Ndrangheta dall'Unità a oggi*, Roma-Bari, Laterza, 1992, p. 6.

[4] Dino Messina, *La forza della mafia. Quei patti fra Stato e cosche*, intervista a Paolo Pezzino apparsa in «Corriere della Sera», 21 agosto 1994, p. 21.

[5] Sharo Gambino, *La mafia in Calabria*, Reggio Calabria, Edizioni Parallelo 38, 1975. Luigi Malafarina, *La 'ndrangheta: il codice segreto, la storia, i miti, i riti e i personaggi*, Roma, Gangemi Editore, 1986.

II. *La svolta*

[1] Tribunale di Reggio Calabria, Corte di assise, Procedimento penale Olimpia, Sentenza, 19 gennaio 1999.

[2] Cfr. anche Ferruccio Pinotti, *Fratelli d'Italia*, Milano, Biblioteca Universale Rizzoli, 2007, pp. 524-25.

[3] Corrado Alvaro, *La fibbia*, in «Corriere della Sera», 17 aprile 1955, ripubblicato poi con il titolo *L'Onorata Società* in *Un treno nel Sud*, Milano, Bompiani, 1958. Cfr. anche Antonio Nicaso, *Senza onore*, Cosenza, Pellegrini Editore, 2007, p. 45.

III. *I sequestri di persona*

[1] Pantaleone Sergi, *La "Santa" violenta, Storie di 'ndrangheta e di ferocia, di faide, di sequestri, di vittime innocenti*, Cosenza, Edizioni Periferia, 1991, pp. 11-14.

[2] Filippo Veltri, *Sequestri: tra lacrime e misteri*, Cosenza, Memoria, 1998, p. 11.

IV. *Il traffico di droga*

[1] Giovanni Maria Bellu, *Tra i silenzi di San Luca il paese che muore di faida*, in «la Repubblica», 19 agosto 2007.

V. *Veleni e rifiuti*

[1] Riccardo Bocca, *Politici e 007 dietro le navi dei veleni*, in «L'Espresso», 24 settembre 2009, p. 68.

VI. *Il delitto Fortugno*

[1] Spiega Caselli: «Sia il terrorismo brigatista che la mafia sono forme di crimine organizzato. Ma, a parte questo punto in comune, si tratta di fenomeni completamente diversi. Tuttavia, almeno in linea di principio, entrambi pongono gli stessi problemi dal punto di vista dell'attività di contrasto. Le possibilità di successo, in un caso come nell'altro, aumentano quando si interviene contemporaneamente su tre versanti: quello tecnico-giuridico (investigativo-giudiziario); quello culturale, necessario per rendere l'opinione pubblica consapevole; e quello – assolutamente fondamentale – dell'aggressione non solo alle manifestazioni criminali, ma anche alle radici profonde di tale fenomeno». (Gian Carlo Caselli, *Le due Guerre. Perché l'Italia ha sconfitto il terrorismo e non la mafia.* Postfazione di Marco Travaglio, Milano, Melampo, 2009, p. 29.)

[2] Enrico Fierro, *Ammazzàti l'onorevole*, Milano, Baldini Castoldi Dalai, 2007.

[3] Stefano Maria Bianchi, Alberto Nerazzini, *La mafia è bianca*, Milano, BUR senzafiltro, 2005.

VII. *La strage di Duisburg*

[1] Antonio Nicaso, *'Ndrangheta. Le radici dell'odio*, Reggio Emilia, Aliberti, 2007, p. 13.

VIII. *Gli investimenti al Nord*

[1] Giacomo Amadori, *Milano capitale della 'ndrangheta*, in «Panorama», 12 aprile 2007.

[2] Rocco Sciarrone, *Mafie vecchie, mafie nuove: radicamento ed espansione*, Roma, Donzelli, 1998.

[3] Casale Litta, Sesto Calende, Somma Lombardo, Ferno, Lonate Pozzolo, Samarate, Busto Arsizio, Saronno, Tradate, Venegono, Malnate, Buguggiate e Varese.

[4] Erba, Senna Comasco, Mariano Comense, Cermenate, Guanzate, Appiano Gentile, Fino Mornasco e Como.

[5] Seveso, Limbiate, Bollate, Legnano, San Giorgio su Legnano, Vanzaghello, Castano Primo, Magnago, Rho, Pregnana Milanese, Novate Milanese, Cesano Boscone, Trezzano sul Naviglio, Buccinasco, Assago, Rozzano, Corsico, Milano (in particolare nei quartieri di Quarto Oggiaro, Corvetto e Baggio), Pioltello, Cologno Monzese, Sesto San Giovanni, Bresso, Cassano d'Adda, Cinisello Balsamo, Cusano Milanino, Monza, Caponago, Varedo, Bovisio Masciago, Cesano Maderno, Giussano, Seregno, Lentate sul Seveso, Cornaredo, Gaggiano, Cisliano, Cuggiono, Inveruno.

[6] Genova, Lavagna, Sarzana, Sanremo, Taggia, Rapallo, Savona, Imperia e Ventimiglia.

IX. *Le filiali estere*

[1] Diego Minuti, Antonio Nicaso, *'Ndrangheta, le filiali della mafia calabrese*, Vibo Valentia, Monteleone, 1994, p. 62.

[2] Antonio Nicaso, *La Nuova Gomorra*, in «L'Espresso», 26 marzo 2009.

[3] Antonio Nicaso, *'Ndrangheta. Le radici dell'odio*, Reggio Emilia, Aliberti, 2007, pp. 63-64.

[4] Minuti, Nicaso, *op. cit.* Informazioni contenute in un rapporto consegnato agli autori da Nicola Calipari, il funzionario del Sismi ucciso a Baghdad nel 2005.

X. *Le radici*

[1] Paola Ciccioli, *Vi racconto la mia vita di magistrato in cattività*, in «Panorama», 23 marzo 2009.

XI. *Il paese dei campanelli*

[1] Leonardo Sciascia, *Il giorno della civetta*, Torino, Einaudi Tascabili, 1990, p. 99.

[2] Colloquio con l'autrice, Middlebury College, Scuola Italiana, luglio 2009.

[3] Silvia Di Lorenzo, *La grande madre mafia: psicoanalisi del potere mafioso*, Parma, Pratiche, 1996, p. 23.

[4] Ferdinand Tönnies, *Comunità e società*, Milano, Edizioni di Comunità, 1979.

[5] Elio Veltri, Antonio Laudati, *Mafia pulita*, Milano, Longanesi, 2009.

Ringraziamenti

Anche i libri-intervista devono molto a molti. Si ringraziano Alberto Cisterna, Mario Andrigo, Sebastiano Ardita, Salvatore Curcio, Roberto Di Palma, Ugo Marchetti, Raimondo Galletta, Fabrizio La Vigna, Rosanna Romeo, Mimmo Rocca, Maria Pia Mazzitelli, Ercole D'Alessandro, Massimiliano D'Angelantonio, Valerio Giardina, Renato Panvino, Leonardo Papaleo, Umberto Zuliani, Antonio Vitti, Enrico Bernard, Claudio Bondì, Dacia Maraini, Walter Pellegrini, Cesare Giuzzi, Roberto Saviano. Un ringraziamento particolare a Stefania Pellegrini, Vittorio Zucconi, ma soprattutto a Rosa Frammartino per i preziosi consigli, e naturalmente a Marina, Antonella, Francesco, Marco, Massimo ed Emily.

«La malapianta»
di Nicola Gratteri
Oscar
Mondadori Libri

Questo volume è stato stampato
presso ELCOGRAF S.p.A.
Stabilimento - Cles (TN)
Stampato in Italia. Printed in Italy